KB150314

영암 내동리 쌍무덤의 가치와 위상

전남문화재연구소 연구총서 008

영암 내동리 쌍무덤의 가치와 위상

2021년 12월 10일 초판 1쇄 인쇄
2021년 12월 20일 초판 1쇄 발행

엮은이 (재)전라남도문화재단 전남문화재연구소

펴낸이 권혁재

편집 조혜진
인쇄 성광인쇄

펴낸곳 학연문화사
등록 1988년 2월 26일 제2-501호
주소 서울시 금천구 가산동 371-28 우림라이온스밸리 B동 712호
전화 02-6223-2301
팩스 02-6223-2303
E-mail hak7891@chol.com

ISBN 978-89-5508-453-5 93900

영암 내동리 쌍무덤의 가치와 위상

(재)전라남도문화재단 전남문화재연구소 엮음

학연문화사

발간사

마한역사문화권 특별법 시행에 발맞춰 마한 최고 수장묘이자 마한 사회를 복원하는데 매우 중요한 유적인 「영암 내동리 쌍무덤」의 가치를 널리 알리기 위한 연구 총서를 발간하게 되었습니다.

전라남도문화재단 전남문화재연구소에서 8번째로 발간하는 이 총서는 2021년 7월 16일에 영암에서 개최한 '영암 내동리 쌍무덤 사적지정 학술대회'의 성과를 모아 새롭게 정리한 것으로 영산강유역 마한문화권 내에서 영암 내동리 쌍무덤의 역사적 가치와 대표성을 확인 할 수 있는 총서가 될 것입니다.

영암 일대의 수많은 고분 가운데 영암 내동리 쌍무덤에서 100년만에 확인된 금동관과 최초로 재지계 제작기법이 확인된 형상 하니와, 영산강유역에서 처음으로 출토된 중국 청자잔 등 무궁무진하고 흥미진진한 유적인 「영암 내동리 쌍무덤」, 영산강유역 마한 문화권의 유구한 역사적 발자취를 전국의 저명하신 학자분들과 관련 분야 전문가분들이 함께 걸어 보려 노력했습니다.

우리 전라남도문화재단은 전남문화재연구소가 2019년부터 발굴조사를 진행하는 내동리 쌍무덤을 영산강유역 마한문화권의 대표 유적으로 내세워 국가 사적 승격을 지속적으로 추진할 것입니다. 이를 통해 전라남도 고대 문화의 역사적 가치를 널리 알리는 교두보로 삼고, 전남만의 독특한 역사문화 자원을 현대 사회 속에서 새로운 가치로 재창출해 나아가겠습니다.

끝으로 학술대회와 총서발간을 위해 힘써주시고 학술대회에 참석해 자리를 빛내주신 전동평 영암군수님, 학술대회에 특별강연을 맡아주신 현재 한국고고학회 회장님이신 충남대 박순발 교수님과 발표와 토론을 흔쾌히 맡아주신 여러 연구자분들께 지면으로 나마 감사의 말씀을 드립니다. 또한 학술대회와 알찬 연구총서 간행을 위해 애써준 재단 전남문화재연구소 이범기 소장과 문종명 연구원, 편집과 디자인·출판을 맡아주신 학연문화사 권혁재 사장과 관계자 여러분께도 감사드립니다.

　모쪼록 이 총서가 모두의 염원 아래 올해 6월부터 시행된 마한 역사문화권 정비 등에 관한 특별법의 실질적인 첫 발자국이 되어 전라남도의 정체성이자 뿌리인 마한이 대한민국 역사 속 고대 국가로 당당하게 평가 받을 수 있는 계기가 되기를 바랍니다.

　감사합니다.

2021. 12.

전라남도문화재단

대표이사 김 선 출

목　차

영산강유역 정치체 전개와 영암 쌍무덤의 역사적 성격 ·······················7
　　　　　　　　　　　　　　　　박순발 (충남대학교)

영암일대 방대형분의 축조배경과 대외교류·································· 31
-내동리 쌍무덤을 중심으로-
　　　　　　　　　　　이범기 (전라남도문화재단 전남문화재연구소)

영암 내동리 쌍무덤 1호분 출토 토기의 시기와 성격 ····················· 69
　　　　　　　　　　　　　　서현주 (한국전통문화대학교)

영산강유역 마한사회에서 내동리 쌍무덤의 의의 ·······················101
　　　　　　　　　　　　　　　김낙중 (전북대학교)

영암 내동리 쌍무덤 출토 유리구슬 성분분석 ·························141
: 5-6세기 영산강 고총고분 집단의 해상교역 네트워크 추정
　　　　　　　　　　　　　　　허진아 (전남대학교)

영암 옥야리 고분군의 조사성과와 활용방안 ·······················185
　　　　　　　　　　　　　김승근 (고대문화재연구원)

'영암 내동리 쌍무덤 사적지정을 위한 학술대회' 종합토론 ···············221
　　　　이정호 (동신대학교) · 홍보식 (공주대학교) · 김수환 (경남도청)

영산강유역 정치체 전개와
영암 쌍무덤의 역사적 성격

박순발 (충남대학교)

Ⅰ. 영산강유역 정치체와 전방후원형 고분

Ⅱ. 5세기 후반 영산강유역 정치체 동향

Ⅲ. 영암 쌍무덤의 역사적 성격

Ⅳ. 여언(餘言)

I. 영산강유역 정치체와 전방후원형 고분

20여 년 전 「4~6세기 영산강유역의 동향」이라는 제하에 글을 발표한
바(朴淳發, 1998) 있다. 당시 학계의 주요 관심은 전남 일대가 언제 어떻
게 백제 영역으로 편입되었느냐에 대한 것이었지만, 그 과정에 일본열도
기원이 분명한 전방후원형 고분이 연이어 발견되면서 영산강유역 고고학
문화의 역사적 성격 혹은 정체(正體) 이해가 긴요하게 되었던 것이다. 토
기 양식 및 분묘에 대한 변천 양상을 토대로 내린 결론은 이러하였다.

4세기 전반 이전 영산강유역 고고학문화는 금강유역과 대동소이하였
으나 그 이후 옹관을 주체로 하는 분구분 출현 및 "영산강유역양식(榮山
江流域樣式)" 토기 등을 특징으로 하는 독자적 문화가 발전하고, 5세기
중엽경 나주 반남지역을 구심점으로 하는 정치체로 성장하였다. 475년
고구려에 의한 백제의 한성(漢城)함락과 웅진(熊津) 천도(遷都) 등 일련
의 정세 변화와 함께 원형·전방후원형 등의 봉분에 월송리형 횡혈식석
실을 매장주체로 하는 무덤이 주로 함평·광주·해남 등 주변지역에 등
장하였다. 묘제나 부장품의 문화적 계통으로 보면 백제·왜·가야 등 여
러 요소가 혼합된 것으로서 시기적으로는 백제의 웅진기(475~538년)와
대체로 병행되고 있다. 이러한 상태는 6세기 전반경 백제의 직접지배가
달성되면서 종결된다는 것이었다.

영산강유역은 지정학적 특성상 한반도 서남해를 공유하는 일본열
도·한반도 남해안 세력과 누세대적인 교류관계를 유지하여 오면서 해당
지역의 고고학적 문화요소가 다양한 형태로 융합되었을 것이다. 전방후원
형 무덤의 등장 역시 그러한 지정학적 맥락에서 이해가 진전되어야 할 것
이었으나 한일간 근현대 역사인식의 부정적 선입견에서 완전히 벗어나기
는 쉽지 않다. 1992년 도굴 과정에서 알려져 긴급 수습 조사된 함평 신

덕(新德)의 전방후원형 고분에 대한 학계의 반응은 마땅치 않았다. 전방후원형 고분의 피장자를 비정하는 일은 한일 양국 학계 모두 일종의 뜨거운 감자였기 때문이다. 이러한 학계의 분위기가 반전된 것은 1999년 필자가 기획한 충남대학교 백제연구소 국제학술회의 「한국의 전방후원분」였

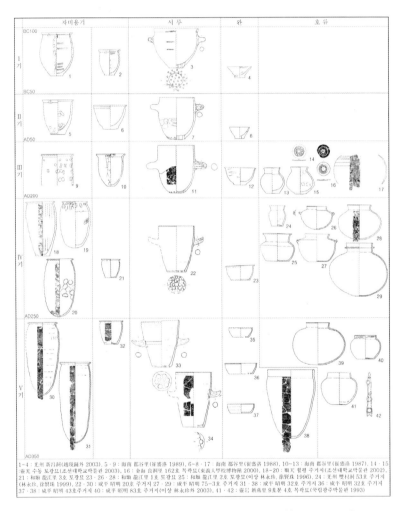

그림 1. 영산강유역양식 성립이전 호남지역 토기 양상(朴淳發, 2005)

다. 한일 양국의 전문 연구자가 본격적으로 영산강유역의 전방후원형 고분에 대해 학술적 논의와 검토를 시작하게 된 것이다. 여러 논의가 있었지만 그 가운데 전방후원형 무덤의 피장자 문제가 가장 초미의 관심사 였음은 물론이다. 영산강유역의 수장(首長), 백제의 관료로 활동하던 왜인(倭人), 교역 등에 종사하는 왜인 등 여러 견해가 제기되었고, 이는 그 이후에

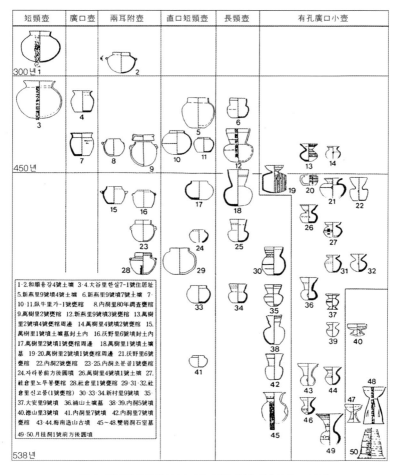

그림 2. 영산강유역양식 토기의 성립과 전개(朴淳發, 1998)

도 약간씩 다른 형태로 반복되고 있는(마한연구원(편), 2020) 듯하다.

필자는 영산강유역의 정치체들의 수장으로 비정하였는데(朴淳發, 1999), 지금까지 알려진 한일 양국 연구자들의 다수 입장(田中俊明, 2001 ; 柳澤一男, 2001)과 다르지 않다. 여기서 잠시 그 내용을 소개하면 다음과 같다.

대략 5세기 후반 경부터 영산강유역 정치체는 백제와 "지배적동맹관계(支配的同盟關係)"에 있었다. 재지 정치체의 수장(首長)을 통한 공납적(貢納的) 지배의 범주에 해당되나 독자적인 외교권을 유지하고 있는 점에서 간접지배와는 다르다고 할 수 있다. 나주 반남고분군을 중심으로 하는 정치체는 백제와의 이러한 관계설정을 통해 지역통합력을 원활히 유지할 수 있었고, 백제는 '백제-대가야-영산강유역-왜'로 이어지는 대(對)고구려연합세력 구축이라는 정치적 목표를 달성할 수 있었다. 그러나 이러한 관계는 한성의 함락과 백제의 웅진천도라는 새로운 국면에서 변화가 일어난다. 고구려의 위협이 감소되면서 대가야세력의 이탈, 백제의 남방 영역확대에 따라 영산강유역에서의 나주 반남세력의 구심력 소멸과 재지수장층의 자립성 제고 등이 그것이다. 이러한 정세를 반영하는 것이 나주 복암리(伏岩里) 3호분 96석실의 등장이다. 전통적인 구심점인 반남세력과 다른 세로운 세력의 출현을 시사하는 것으로 그 이면에는 백제가 작용하고 있기 때문이다. 동시에 섬진강류역의 호남동부지역의 대가야권 및 전남 동부 해안지역 진출에 주력하고 있던 백제 입장에서는 외곽 재지수장들의 일본열도 정치체들과의 자율적 교류 활성화는 반남세력의 구심력 약화라는 전략적 목표에 부합하는 것이기도 하다.

그러나 대가야권으로의 진출이 일단락 된 530년경에는 안라(安羅)지역을 놓고 신라와 본격적인 대결구도가 형성됨에 이르러 백제는 왜왕권과의 일대일 직접적인 군사외교를 추진하게 된다. 용병과 같은 인적자원을 확보하고 그 반대급부로서 중국으로부터 수입한 선진문화를 왜왕권에

독점적으로 공급하는 방식이었다. 이는 영산강유역을 포함한 한반도 남부 여러 군소 정치체들과의 대외교섭을 통해 존립기반을 확보해 오던 큐슈(九州)세력의 불만을 야기하였고 그 결과 527~528년에 걸친 기간에 일어난 이른바 "츠쿠시기미(筑紫君) 이와이(磐井)의 란(亂)"이었다.

이와이의 난이 평정된 후 긴메이(欽明) 정권은 중앙 직할의 미야케(屯倉)를 각지에 설치함으로써 마침내 직접지배에 이르게 된다. 백제 역시 영산강유역을 포함한 새로운 영역에 대한 완전한 직접지배를 실현하였였다. 결국 〈백제↔영산강유역↔큐슈(九州)세력↔왜왕권〉의 다핵적(多核的) 대외관계가 〈백제↔야마토(大和)정권〉의 쌍방구도로 재편되었던 셈이다.

영산강유역의 전방후원분은 백제의 한성 II기 이래 유지되던 백제-대가야-영산강유역-왜라는 대 고구려 연합구도가 백제의 남천으로 와해된 뒤 백제-야마토정권 연합이라는 새로운 국제질서가 확립되기까지의 과도기에 나타났던 영산강유역 주변세력 및 일본열도 제 지역세력 사이에 전개되었던 정치적 역동성의 산물이라는 것이다.

II. 5세기 후반 영산강유역 정치체의 동향

영산강유역 전방후원형 고분의 매장주체부는 영암 자라봉 고분을 제외하면 모두 횡혈식석실묘이다. 그에 대해 필자는 "월송리형석실(月松里型石室)"이라 불렀다(朴淳發, 1998). 그 당시까지 영산강유역에서 알려진 횡혈식석실묘는 평면이 방형이고 사벽을 좁혀 마감한 기법의 궁륭상(穹窿狀) 천장 석실묘로서 백제계로 알려진 것, 장방형 평면으로서 영산강유역 현지의 특징을 가진 것, 그리고 사비기 백제의 전형적인 석실묘로서 능산리형(陵山里型)석실 등 3가지로 분류되고 있었다. 그 가운데 두 번째의 부류인 영산강유역 재지적인 특징이 농후한 것에 대해 그 무렵까지 대표적인 조사례인 해남 월송리(月松里) 조산(造山)고분의 이름을 빌려 월송리형석실이라 불렀던 것이다. 월송리형석실에 대해 그 계보가 일본의 큐슈지역에 있음을 주장하는 견해들이 제시되었지만, 세부적으로 보면 유사성과 함께 차이가 존재하여 어느 일방에서 정확한 원류를 구하기는 여전히 쉽지 않았다. 이러한 연유로 대체로 영산강유역 현지에서 형성된 경우, 큐슈지역에서 그대로 이식된 경우, 그리고 양자를 토대로 새로 창출된 경우 등으로 나누어 보기도 한다(홍보식, 2011).

그러나 횡혈식석실묘는 원래 한반도를 통하여 일본열도에 수용된 것으로서 정형화된 횡혈식석실묘의 출현은 4세기 후반 이후이고 영산강유역과의 관련성이 상정되는 것은 쓰에끼(須惠器) 편년상 TK47~TK10형식에 해당되지만, 역연대(曆年代) 비정이 정확하거나 고정되어 있지 않아 광역 교차연대 설정에는 취약하다. 영산강유역으로 이식된 것의 원형으로 설정된 횡혈식석실 가운데 하나인 북부 큐슈의 반쯔카(番塚)는 꺽쇠와 관정(棺釘)이 출토되어 목관을 사용한 장제(葬制)를 따랐을 뿐 아니라 조족문(鳥足紋) 타날의 영산강유역 토기가 부장되어 있다. 일본열도에서 무덤에 토기를 부장하는 장제 자체가 한반도에서 건너온 사람들에 의해 정착 확산된 것이란 점(重藤輝行, 2010)을 고려할 때 그러한 횡혈식석실을 축조할 수 있는 조묘집단이 동시기 영산강유역에는 없고 북부 큐슈에만 있었다고 상정하는 것은 설득력이 없다. 반쯔카는 필자가 "월송리형석실"로 불렀던 유형의 조형(祖型)으로 여겨지는데, 두 무덤의 정확한 축조 연대를 비교하여 설사 전자가 얼마간 이르다고 하더라도 그것이 곧 후자의 조형이 되어야 하는 것은 아니다. 고고자료의 특성상 그보다 더 이른 것이 영산강유역에서 발견될 가능성이 있기 때문이다. 그러므로 기원지 문제에 접근할 때는 연대의 비교뿐만 아니라 여러 관련 문화요소들의 기원 등도 함께 고려하는 것이 안전하다. 반쯔카에는 석실의 벽에 철모를 꽂아 놓은 특이한 장제가 확인되기도 하였는데, 이는 백제에서 일본 열도로 전파된 석실 내 유장(帷帳) 설치 장제에서 기원된 것이다(右島和夫, 2008).

이상의 점으로 미루어 보면 월송리형석실의 출현은 큐슈세력의 관여 없이 등장할 수 없는 것이 결코 아니며, 양 지역 간 미묘한 교차연대 상의 차이에 근거하여 입론하는 것은 사안의 중대성에 비춰 올바른 방법론이 못된다. 그럼에도 불구하고 그간 이에 대한 본격적인 재검토가 없었던 것은 아마도 전방후원형이라는 외형 그 자체가 가지는 강렬한 정체성에 압도되었던 때문으로 이해된다. 전술한 바처럼 영산강유역에 등장하는 횡혈식석실은 한성기~웅진기 무렵의 백제계가 분명한 방형의 궁륭상 천장 석실 이외에 현지형이라 할 수 있는 것이 바로 월송리형석실이다. 그러므로 북부 큐슈에서 그 조형을 찾기보다는 영산강유역에서 자체적으로 발전해나가는 과정을 탐색하는 것이 타당하다(김낙중, 2009 ; 188).

이러한 관점에서 매우 중요한 고고자료가 나주 정촌(丁村) 고분 발굴조사 결과이다. 이 무덤은 5세기 3/4분기에 축조된 것으로 비정되는 1호 석실을 중심으로, 6세기 2/4분기의 2호 석실, 그리고 7세기 1/4분기로 비정되는 3호 석실 등으로 구성되어 있으며, 그 밖의 1호 석실의 봉토에 배장(陪葬)된 5 · 6호 옹관 및 목관을 비롯한 그 밖의 옹관 4기와 석곽묘 2기 등으로 이루어진 방대형 군집묘이다(국립나주문화재연구소, 2017). 1호 석실에는 모두 3기의 목관이 안장되었는데, 그 가운데 가장 늦은 3호 목관의 피장자는 금동식리를 착용하고 있었다. 석실에 목관이 안치된 점은 인접한 복암리 3호분 96석실에서 4기의 옹관이 안치된 점과 대조적이어서 석실 피장자들의 문화적 지향이 백제였음을 강력히 시사하고 있다. 1호 석실의 배묘인 6호 옹관 속에서도 관정이 출토되어 옹관 속에 목관을 사용한 최초의 예로서 매우 주목되기도 한다.

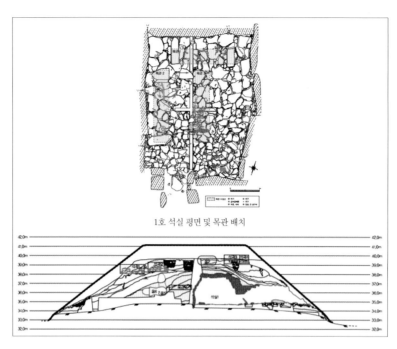

1호 석실 평면 및 목관 배치

그림 3. 나주 정촌고분 1호 횡혈식석실 및 배묘 배치 양상(국립나주문화재연구소, 2017)

영산강유역의 방대형 고분은 대체로 선행하는 제형(梯形) 분구를 토대로 평면을 방형으로 정비하면서 수직방향으로 확대한 예가 대부분인 점에 비춰 정촌 고분은 선행 봉분이 없는 곳에 조영한 것이 특징이다. 인접한 복암리 3호분의 경우 3기의 제형 저분구분을 토대로 재편된 것임을 감안할 때 아무래도 정촌 조묘집단은 이 지역에 기반이 없었던 세력이거나 복암리집단에서 분기한 세력일 가능성이 있다. 정촌 고분 조사를 통해 기존 제형 저분구를 방대형 봉분으로의 고대화는 대략 5세기 3/4분기 즉, 백제 한성기 말에 진행되었던 것으로 이해된다. 이런 점은 고창 봉덕리 1호분의 등장에서도 확인된다.

최근까지 알려진 방대형 분구의 분포는 대체로 서해안 지역을 중심으로

경기도 화성 요리 고분군, 서산 부장리 등 충청 서해안을 거쳐 금강유역의
군산·전주, 그리고 고창·함평·나주·영암 등 영산강유역으로 전개되는
모습이다(임영진 외, 2015). 대체로 5세기 중·후엽에 집중된 양상인데, 대
표적인 예로는 나주 반남 대안리 3호분·9호분, 신촌리 9호분, 복암리 3호
분, 함평 금산리 미출고분, 무안 사창리 저두고분·고절리 고분, 해남 신월
리고분, 고창 봉덕리 1호분 영암 옥야리 1호분·2호분 등이 있다.

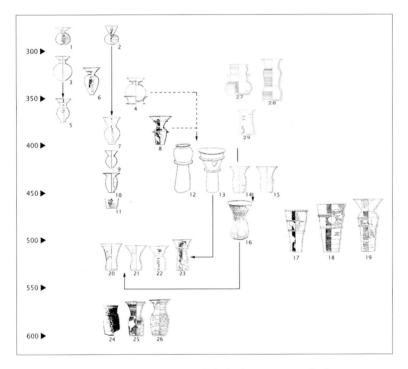

그림 5. 한·일 분구수립토기의 계통(朴淳發, 2001 수정)

1·2. 福岡縣 生掛古墳, 3. 奈良 桜井茶臼山古墳, 4. 大分縣 小熊山古墳, 5. 佐賀縣 銚子塚古墳, 6. 大
阪府 美園古墳, 7. 福岡縣 老司古墳, 8. 大阪府 一ケ塚古墳, 9. 熊本縣 長目塚古墳, 10. 鹿兒島縣 飯盛
山古墳, 11. 佐賀縣 船塚古墳, 12·13. 羅州 新村里9號墳, 14·15. 羅州 伏岩里2號墳, 16. 咸坪 중당,
17. 光州 明花洞古墳, 18·19. 光州 月桂洞1號墳, 20·21. 三重縣 北野遺蹟, 22. 鳥取縣 向山309號墳,
23. 鳥取縣 井手挾1號墳, 24. 大分縣 天滿2號墳, 25·26. 埼玉縣 中の山古墳, 27~29 群山 鷲山里 鷄南

그 기원을 찾아 올라가면 목곽묘를 주체로 하는 낙랑지역의 봉토분에 있다. 원삼국시대 주구묘는 그 규모나 시간적인 간극에서 직접적인 영향 관계 설정은 쉽지 않지만, 이른바 분주토기 혹은 분구수립토기로 부르는 원통형 토제품이 군산 축동(築洞)·계남(鷄南) 등지(국립나주문화재연구소·전남대학교박물관, 2015)의 4세기대 주구묘에서 출현하는 것으로 보면 그 가능성을 배제하기 어렵다. 분구수립토기의 기원에 대해 필자는 형태적으로 유사한 일본 열도의 예에서 찾아 본 적(朴淳發, 2001)이 있는데, 이러한 신발견으로 인해 얼마간의 인식 전환이 필요하게 되었다.

5세기에 출현하였다는 생각은 자연스럽게 4세기대로 올려 보아야 하겠지만, 그 기원 문제는 여전히 분명하지 못하다. 중서부지역의 주구묘 출토 통형토기와 관련된 것으로 보는 견해도 제기되었지만 출토 위치로 보면 개연성이 낮다. 천안·아산 일대에 집중된 통형토기는 여타 대각 달린 토기들과 함께 대체로 동한(東漢) 시기에 성행하였던 도창(陶倉)·도정(陶井)·도부(陶釜) 등의 명기(明器) 부장 습속의 영향으로 등장한 것으로 보아야 하며, 그 가운데 문제의 원통형토기는 저부와 측면에 구멍이 있는 점으로 보아 우물을 상징하는 명기에 맥이 닿는다고 여긴다. 4세기대는 백제의 국가 성립 이후 그 영향이 마한지역으로 미치면서 중서부지역 전반에 걸쳐 인구의 이산(離散)이 빈번하였을 때이다. 특히 금강유역의 변화가 비교적 컸을 것으로 보이는데, 모형농공구(模形農工具)가 금강유역·영산강유역·일본열도·대가야권역 등에 걸쳐 분포하는 현상과 함께 광역 지역간 교섭의 맥락에서 분구수립토기의 기원을 추구해 볼 필요가 있다.

한편, 경기도 화성 향남 요리의 경우 주구 속에 할석이 다수 퇴적되어 있어 방형의 분구표면에 즙석이 있었을 가능성도 제기 되고, 주변에 다수의 목관묘나 옹관묘가 확인되는 점으로 보면 어느 무렵에 이들을 아우르는 방형의 봉분 내지 분구가 구축되었던 것으로 보아도 좋을 것이다. 이 분구 밖에 위치한 1호 토광 목곽묘에서는 금동식리와 금동관이 출토되어 그러한 방대분의 정비 시점의 지역 정치체의 모습을 엿볼 수 있다. 요리 식리와 금동관은 이후 공주 수촌리 · 원주 법천리 · 서산 부장리 · 고창 봉 덕리 등 한성기 백제 지방의 수장층에게 사여되었던 것의 효시이지만, 그 것의 영산강유역 판이 바로 나주 정촌 고분이라 할 수 있다.

이처럼, 백제 한성시기 서해안 각지에서는 기존 저분구분이 방형으로 고대화하는 경향이 감지되는데, 그것을 촉발한 직접적 계가가 무엇인지 는 갑자기 알기 어려우나 적어도 백제에 의한 지방지배의 진전의 한 측면 으로서 금동관이나 금동식리를 중심으로 하는 위세품의 사여가 시기적으 로 겹치고 있는 점은 주목할 필요가 있다. 백제나 신라의 국가 성립 과정 에서도 이와 유사한 현상이 나타났다. 복수의 무덤들이 하나의 봉분으로 덮이는 현상으로서 필자는 그것을 국가 형성기에 가족 단위가 사회의 기 본단위로 부각되던 상황과 관련이 있는 것으로 보아 "가족합장묘(家族合 葬墓)"라 부르고 있다(朴淳發, 2000). 아무튼, 당시 마한으로 불리던 여러 정치체들이 백제라는 국가 단계의 정치체와 마주하는 계기는 해당 정치 체에게는 수장을 중심으로 하는 내부의 통심의 구심력을 촉진하는 동시 에, 수장을 비롯한 일련의 친족집단에게는 공동체성에서 벗어나 상대적 으로 신분이 상승되는 효과도 있었을 것이다. 그것이 바로 특정 친족 혹 은 가계 중심의 족묘(族墓), 즉 가족묘지로서 방대형 고분의 출현이 아닐 까 한다. 이러한 족묘는 복수의 피장자 합장을 의도한 횡혈식석실묘가 주 체가 되었다. 횡혈식 장법이 가능한 묘속(墓俗)은 백제의 경우 도성지역 에서 대략 4세기 후반경에 등장하였고, 이후 백제의 영역 확대에 따라 지 방으로 확산되는 양상이다. 금강유역 공주의 수촌리의 경우 5세기 전반 경, 금강 이남의 고창 봉덕리 1호분의 경우 5세기 중엽 무렵으로 비정 가능하다. 영산강유역의 경우 나주 정촌 고분을 기준으로 하면 대략 5세기 3/4분기 무렵에는 횡혈식석실묘가 등장한 것으로 보인다. 각지의 횡혈식석실묘 축조에 모두 백제의 특정 조묘집단이 관여하였을 가능성은 낮지만, 전반적인 상장(喪葬) 과정에서 백제의 영향이 작용하였음은 틀림이 없을 것이다.

Ⅲ. 영암 쌍무덤의 역사적 성격

영암 쌍무덤은 지금까지 알려지지 않은 방대형 고분에 해당된다. 평면 형태가 정연하지 않은 점으로 보면 초현기의 모습을 시사하는 것으로 볼 수 있다. 현재까지 알려진 조사 내용으로(전남문화재연구소, 2020) 보면 선행 저분구 단계 없이 새로 조성된 방대형 고분으로 이해된다. 분구 조성 시에 축조된 매장주체부는 횡혈식석실묘이고 이후 석곽묘 2기, 석실묘 1기, 그리고 옹관 3기 등이 안장된 일종의 족묘로 볼 수 있다. 시종면(始終面) 관내에는 이러한 분구분, 즉 족묘가 3개소에 분포하고 있다. 내동(內洞)의 쌍무덤, 옥야리 1·2호분, 태간리의 자라봉 고분으로 북으로부터 서로 약 2km 남짓한 거리를 두고 옥야리 방대형분, 쌍무덤 그리고 자라봉 고분이 위치하고 있다. 옥야리와 내동은 현재의 직선거리로 상으로는 약 2.3km 정도에 불과하지만 당시의 해수면을 고려하면 수운 결절상의 위치가 같지 않았을 것으로 보인다. 방대형 분구가 출현한 옥야리와 내동은 각기 선행단계에 해당하는 것으로서 옹관을 매장주체로 하는 저분구의 원형 혹은 타원형의 분묘가 있었다. 옥야리의 북쪽에 위치한 신연리도 그와 비견되는 세력이 저분구 단계부터 존속하고 있으나 방대형 고분 단계의 모습은 아직 분명하지 않다. 한편, 자라봉 고분은 위치상으로 보면 내동의 쌍무덤 출현 이후 등장한 전방후원형 고분에 해당된다. 방대형 고분과 인접한 전방후원형 고분의 존재는 함평 죽산리 전방후원형 고분과 금산리 미출 방대형 고분의 셋트에 비교될 수 있을 것이다. 전술한 바처럼 전방후원형 고분의 피장자가 당시 각 지역 정치체의 수장일 것이라는 견해가 유력한데, 시종면 일대의 고분 분포 상황은 그러한 견해에 부합되는 바 많다.

옥야리 방대형 고분의 축조 기법이나 시기 등은 1호분 발굴조사를 통해 소상하게 밝혀졌는데, 구지표를 정지하여 일정 높이의 분구를 만들고, 그 중앙에 횡구식석실을 축조하여 한쪽 단벽을 이용해 목관을 안장한 석실 위를 점토로 밀봉하면서 전체 분구를 정연한 방대형으로 완성하였다. 횡구식석실 안장 이후 석곽묘 1기, 옹관묘 3기 그리고 목관묘 1기 등이 시차를 두고 부장(祔葬) 혹은 배장(陪葬) 되었다. 최초 횡구식석실의 축조 시점은 5세기 중·후엽으로 비정된다(국립나주문화재연구소, 2012). 이와 같은 축조 과정이나 주 피장자 이후 배장되는 모습 등은 앞 서 본 나주 정촌고분의 그것과 다르지 않으나, 매장 주체부의 구조나 축조기법에서는 많은 차이를 보이고 있다. 정촌의 경우는 축조기법이 매우 우수한 횡혈식석실인데 비해 옥야리 1호분은 벽면 축조에 지지(支持) 목주(木柱)를 사용하는 등 석조 구조물 구축에 익숙하지 않은 모습이 관찰된다. 양쪽 장벽이 토압으로 내경하는 등의 모습은 백제의 경우 4세기 후반 횡혈식석실 초현기에 종종 관찰되는 특징이기도 하다.

흥미로운 것은 지지목주를 사용하여 횡혈식석실을 구축하는 모습은 쌍무덤에서도 확인되고 있다는 점이다. 석축으로 벽상의 구조물을 구축하는 데에 지지목주를 활용한 예는 성벽 축조 과정에 적용된 예도 있다. 고구려 대성산성, 신라의 단양 적성 그리고 대전의 월평동유적의 백제 점유기 성벽 등인데, 현재로서는 특정 토목문화의 전통이나 계보로 보기는 어렵다. 쌍무덤의 경우 4벽의 구축을 위해 양쪽 장벽과 오벽(奧壁)에 각각 목주를 세워 벽석을 쌓고, 천장의 개석을 덮기 위해서도 들보의 기능을 할 수 있는 횡목을 일부 설치하였을 것으로 보인다. 이러한 양상은 할석으로 석실을 구축하는 건축기술이 아직 성숙하지 못한 사정을 시사하는 것으로 볼 수 있다. 이는 또한 횡혈식석실 축조기술이 외부의 지원을 받아 전수되었다기보다는 자체적인 모색을 통해 습득되는 과정이기도 하다. 이러한 모습은 전반적으로 백제식의 장제를 채용한 전술한 나주 정촌의 경우와 대조적이어서 흥미롭다.

나무기둥을 세워 마치 지상의 가옥처럼 횡혈식으로 축조한 이러한 무덤은 목실묘로 불리는데, 일본열도의 호쿠류쿠(北陸)나 오사카(大阪) 등지에서 대체로 6세기대에 등장하는 것으로 쓰에키 생산에 종사하는 한반도계 도래인 집단이 축조한 것으로 알려져 있다. 이런 점으로 보면 일본열도의 목실묘는 쌍무덤과 같은 영산강유역의 이러한 축조기술에서 파생되었을 가능성을 적극 검토할 필요가 있다.

아무튼, 쌍무덤 횡혈식석실에서 관찰되는 특이한 축조기법은 방대형고분 출현기에 영산강유역의 각지 수장층들이 서로 다른 기술적 계보나 정치적 네트워크를 통해 정체성을 확립해 나가고 있는 모습을 엿볼 수 있게 한다. 영암 시종면 일대에 기반을 둔 지역 정치체는 백제 세력과는 일정한 거리를 유지하는 자립 노선을 추구하였던 것은 아닐까 한다. 그러한 사정과 비교적 밀접한 관련이 있는 것이 금동관(金銅冠)이다.

금동관은 관(冠)과 모(帽)로 구성되어 있는데, 관은 상투[髻] 부분만을 감싸는 것이고 모는 머리 전체를 덮는 것을 말한다. 쌍무덤에서 출토된 것은 수지형(樹枝形) 입식 끝에 맺힌 보주형(寶珠形)의 장식을 양쪽의 가지가 대칭으로 감싸고 있는 모티프와 당초문 모양의 수지로 구성되어 있다. 이 부분은 기왕에 알려진 신촌리 9호분 을관 출토 금동관모의 모의 장식과 동일하다. 그러나 자세히 관찰해보면 몇 가지 차이점도 뚜렷하다. 우선, 조금기법(彫金 技法), 즉 금속 표면에 문양을 내는 등의 새기는 기법에서 차이가 있다. 쌍무덤의 것은 타출(打出)기법이 보이지 않는데 비해 신촌리 9호분 것은 가장 자리에 추점(錐点 : 문양의 뒷면에서 때려 정면이 돌출되게 한 기법) 기법에 의한 타출로 되어 있다. 그리고 중앙 보주를 지지하는 수간(樹幹)에서도 차이가 있는데, 쌍무덤은 하나로 된 단간(單幹)인데 비해 신촌리 9호분 것은 3간으로 되어 있다. 그 밖에 구슬 장식도 쌍무덤은 보주형 장식의 중앙에 감입된 데 비해 신촌리 9호분 것은 보주장식 끝에 꽂혀 있다.

쌍무덤(전남문화재연구소, 2020)   신촌리 9호분 을관(국립공주박물관, 2011)

그림 6. 쌍무덤 금동모 수지상입식과 신촌리 금동모 비교

이러한 모티프상의 세부 차이를 동반한 조금 기법의 차이는 시기적인 차이를 시사(示唆)하는 것이다(李知炫 · 崔基殷 · 金成坤, 2011). 타출 기법으로 된 금동관모나 식리는 5세기 3/4분기로 비정되는 익산 입점리(笠

店里) 금동식리 및 관모 이후에 등장하기 때문이다. 이런 점으로 보면 쌍무덤의 금동모는 적어도 익산 입점리보다 이른 시기로 비정되어야 한다. 약보고서에서는 이 금동모편이 1호 석실 내부와 그 위에 중첩 축조된 2호 석곽묘에서 흩어져 수습되었다고 기술하고 있는데, 가장 큰 파편이 1호 석실의 천정석 함몰부 아래에서 수습되는 점으로 보면 1호 횡혈식석실 피장자의 것으로 보아야 할 것이다. 이러한 추정은 전술한 바와 같이 제작기법으로 볼 때 신촌리 9호분 을관과 일정한 시차가 있다는 사실과도 부합된다.

이로써, 쌍무덤 금동모는 지금까지 알려진 자료로 보는 한 가장 이른 시기의 보주형 수지입식 금동관모가 되는 셈이다. 영산강유역 역사상에 대한 이해에서 이것이 의미하는 바는 결코 적지 않다. 우선, 목주를 사용한 횡혈식석실 축조기법에서 영암 시종면 일대를 기반으로 하는 지역 수장은 방대형 족묘 조영의 유행에 대응하여 백제와는 일정한 정치적 거리를 유지하는 자립적 노선을 취하였을 가능성이 엿보인다. 아울러 그 무렵, 즉 5세기 3/4분기 무렵 금강유역 이북의 제 수장들이 백제로부터 사여 받은 것과는 다른 유형의 금동관모를 사여 받았다는 사실이다. 신촌리 9호 을관 금동관보다 시기적으로 앞서기 때문에 지금까지 영산강유역 정치체의 통합 중추로 여겨왔던 신촌리 9호분 을관 피장자가 백제로부터 인정받았던 정치적 위상은 실은 영암 시종의 쌍무덤 피장자에서부터 비롯되었을 것으로 보아야 한다.

모두에서 소개한 바와 같이 필자는 종래 영산강유역의 통합 구심은 반남을 중심으로 하는 옹관묘 장제를 지속하는 세력으로 여겼다. 그러한 판단의 배경에는 신촌리 9호분 을관 피장자가 착장하고 있던 금동관모의 존재가 크게 작용하였음을 부인하기 어렵다. 그렇다면 같은 논리로써 이제 쌍무덤의 피장자는 5세기 중·후엽 영산강유역 정치체의 핵심으로 보지 않을 수 없다. 방대형 분구묘를 족묘로 조성하면서 횡혈식석실묘 축조를 독자적으로 추진하는 모습에서 그러한 정치적 위상의 풍모가 느껴질 수 있겠다.

지금까지 드러난 고고자료로 보면 쌍무덤 세력은 영암일대는 물론이고 전체 영산강유역 제 세력 가운데서도 그 위상이 높았던 것으로 평가된다. 한성 백제 말기에 정치적으로 백제 중앙과 일정한 거리를 유지하는 한편 장기 지속적인 일본열도와의 네트워크를 적극 활용하여 정치적 통합 구심력을 유지를 부단히 추구하였던 것으로 보인다. 전술한 바와 같이 쌍무덤 세력과 같은 지역 기반을 가지고 있던 것으로 보이는 세력이 전방후원형 고분인 자라봉고분을 축조하게 된 것은 그러한 과정의 한 단면을 보여주는 고고자료인 것이다.

Ⅳ. 여언(餘言)

영산강유역과 관련한 한국고대사에서의 이미지는 백제의 영역으로 편입되기 이전 존속하였던 마한의 최후 거점이라는 것이다. 백제라는 역사의 스크린과 영산강유역의 정치체의 모습은 불가분의 관계를 가지고 있음은 물론이다. 그 모습을 투사할 스크린이 없으면 영산강유역 정치체의 구체적인 모습은 가시적이지 않다. 그러한 것 가운데 하나는 마한으로 통칭되는 전체 영산강유역을 포괄하는 정치체의 통합 수준 및 그를 구성하는 단위 정치체로서 "국(國)"의 수 등에 대한 파악일 것이다.

이 문제와 관련하여『삼국지(三國志)』위서(魏書) 동이전(東夷傳) 한조의 마한 54국 가운데 영산강유역의 마한에 해당되는 "국"의 개수를 파악하려는 연구도 있었고, 그 결과 전남지역에는 13~14개의 소국이 자리 잡고 있었을 것으로 보기도 한다(임영진, 2013). 동이전에 언급된 "국"은 당시의 용어체계를 참고하여야 하는데, 중국 동한대 기준 현(縣) 단위 규모로서 정식 행정편제에 포함되지 않은 지역을 지칭하는 것이다. 한반도의 3세기 전중엽경의 상황에 대한 기술이므로 외적으로 단위 통합 세력으로 보이는 정치체를 "국"이라 하였던 것인데, 그 규모는 지금의 군단위 행정단위보다는 컸을 것이다.

구체적인 모습을 파악하는 데에 단서가 되는 자료가 『삼국사기(三國史記)』 지리지(地理誌)에 당장(唐將) 이적(李勣 : 594~669년)이 당 고종(高宗)에게 대한 전황(戰況) 보고 내용으로 언급된 백제(百濟) 고지(故地)에 대한 행정편제이다. 실제 내용은 함형년간(咸亨 : 670~673년) 신라 장령(將領)이 문무왕에게 보고한 고구려 및 백제 고지에서 전개되고 있던 전황보고라 알려져 있다. 그에 의하면 백제 고지는 웅진도독부(熊津都督府) 직할 13개현, 동명주(東明州) 산하 4개 현, 지심주(支瀋州) 산하 9개현, 노산주(魯山州) 산하 6개현, 고사주(古四州) 산하 5개현, 사반주(沙泮州) 산하 4개현, 대방주 산하 6개현, 분차주 산하 4개현 등 37개 현으로 편제되어 있다. 당의 이민족 정복지에 대한 기본 정책은 현지의 습속에 따라 기미(羈縻) 통치(統治)하는 방식이므로 기미(羈縻) 부주(府州) 등 행정(行政)건치(建置)는 현지의 그것을 답습(踏襲)하는 것이었다. 660년 사비도성을 함락시킨 후 취한 첫 행정편제는 웅진(熊津), 마한(馬韓), 동명(東明), 금련(金連), 덕안(德安) 5도독부와 대방주(帶方州)라는 6개의 광역 행정편제 설치였다. 이들은 각각 사비도성, 중방(中方), 북방(北方), 서방(西方), 동방(東方), 남방(南方)에 대응하는 것이지만, 백제부흥운동으로 인해 실현되지 못한채 인덕(麟德 : 664~665년) 연간 이후 폐지되었다. 그 이후 백제 구 도성 소재 웅진도독부 아래 7주로 현실화 한 것이 함형연간의 편제이다(趙智濱, 2010).

그 가운데 영산강유역을 중심으로 하는 지금의 전남지역에 해당하는 것이 사반주 4현, 대방주 6현 그리고 분차주 4현으로 이들을 모두 합치면 14개의 현이 된다. 여기의 현은 백제 당시의 군(郡)을 기반으로 한 것이다. 사반주의 치소는 모지(牟支)인데, 본래 백제의 "무시

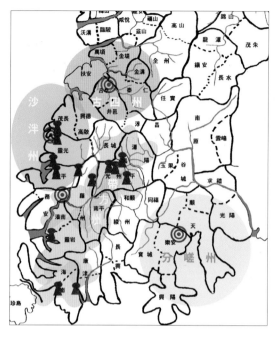

그림 7. 당 백제고지 행정편제를 통해 본
영산강유역 지역 통속 관계

이(武尸伊)"로서 지금의 영광(靈光)에 비정된다. 그 아래 무할(無割)·좌노(佐魯)·다지(多支) 등 4현이 속한다. 대방주의 주치(州治)는 죽군성(竹軍城)으로서 본래 백제의 두과(豆肹) 지금의 나주 다시면 회진(會津)으로 비정된다. 대방주는 남방의 중심으로도 비정되므로 백제가 영산강유역을 통치하던 거점이라 할 수 있다. 복암리 1호분 출토 은화관식(銀花冠飾)은 그러한 사정을 보여주는 고고자료이다. 대방주에는 지류(至留)·군나(軍那)·도산(徒山)·반나(半那)·포현(布賢) 등이 편제되어 있다. 분차주는 군지(軍支)로 낙안(樂安)으로 비정되고, 그 아래 귀단(貴旦)·수원(首原)·고서(皐西)가 속한다.

이러한 영산강유역의 지역 간 통속(統屬)관계를 전방후원형 고분의 분

포 및 조선시대의 전통 장시권을 기준으로 구분한 지역단위와 대비해 보면 [그림 기과 같다. 영암 시종면과 나주 반남면은 공간적 인접성과 함께 정치·사회적으로도 밀접한 관계임은 짐작하기 어렵지 않다. 앞서 본 영암 내동의 쌍무덤 피장자가 신촌리 9호분 피장자보다 먼저 이 지역의 통합을 주도하였고, 동시에 일본열도와의 오랜 교류 네트워크를 활용하여 백제와의 관계를 유지하였다. 모두에서 소개한 바와 같이 한성시기의 그러한 관계를 "지배적 동맹관계"라 불렀다.

【참고문헌】

국립공주박물관, 2011,『百濟의 冠』.

국립나주문화재연구소, 2012,『영암 옥야리 방대형고분-제1호분 발굴조사보고서』.

_____, 2017,『羅州 伏岩里 丁村古墳』.

국립나주문화재연구소·전남대학교박물관, 2015,『한국의 원통형토기(분주토기)』I, II.

김낙중, 2009,『영산강유역 고분 연구』, 학연문화사.

대한문화유산연구센터(엮음), 2011,『한반도의 전방후원분』, 학연문화사.

마한연구원(편), 2020,『장고분의 피장자와 축조배경』, 학연문화사.

朴淳發, 1998,「4~6世紀 榮山江流域의 動向」,『百濟史上의 戰爭』第9回 百濟研究 國際學術大會 發表文集, 忠南大學校 百濟研究所.

_____, 1999,「百濟의 南遷과 榮山江流域 政治體의 再編」,『韓國의 前方後圓墳』, 충남대학교 출판부.

_____, 2000,「墓制의 政治·社會的 含意」,『荷谷金南奎敎授停年紀念史學論叢』, 史學論叢刊行委員會.

_____, 2001,「榮山江流域 前方後圓墳과 埴輪」,『한·일 고대인의 흙과 삶』(특별전 도록), 國立全州博物館.

_____, 2005,「土器相으로 본 湖南地域 原三國時代 編年」,『湖南考古學報』21.

徐賢珠, 2006,『榮山江流域 古墳 土器 研究』, 學研文化社.

李知炫·崔基殷·金成坤, 2011,「百濟 金銅帽冠의 製作技法 研究」,『百濟의 冠』, 국립공주박물관.

임영진 외, 2015,『마한 분구묘 비교 검토』, 학연문화사.

임영진, 2013,「고고학 자료로 본 전남지역 마한 소국의 수와 위치」,『전남지

　　역 마한 소국과 백제』, 학연문화사.

전남문화재연구소, 2020, 「영암 내동리 쌍무덤 정밀 발굴조사 약식 보고서」.

홍보식, 2011, 「한반도 남부지역의 왜계 횡혈식석실의 구조와 계통」, 『장고분
　　의 피장자와 축조배경』, 학연문화사.

[중문]

趙智濱, 2010, 「熊津都督府陷落始末」, 『中國邊疆史地研究』, 第2期.

[일문]

右島和夫, 2008, 「橫穴式石室の空間構造」, 『王權と武器と信仰』, 同成社.

柳澤一男, 2001, 「全南地方の榮山江型橫穴式石室の系譜と前方後圓墳」, 『朝
　　鮮學報』第百七十九輯.

田中俊明, 2001, 「韓國の前方後圓形古墳の被葬者造墓集團に對する私見」,
　　『朝鮮學報』第百七十九輯.

重藤輝行, 2010, 「古墳時代の北部九州における土器副葬儀禮の出現」, 『古文
　　化談叢』第65輯.

영암일대 방대형분의 축조배경과 대외교류
-내동리 쌍무덤을 중심으로-

이범기 (전라남도문화재단 전남문화재연구소)

Ⅰ. 머리말

Ⅱ. 방대형분의 분포와 연구 성과

Ⅲ. 내동리 쌍무덤의 조사 성과

Ⅳ. 축조집단의 성격과 영암 일대 방대형분의 출현과 의미

Ⅴ. 맺음말

Ⅰ. 머리말

영암 내동리 쌍무덤은 외형적인 분구의 독특함과 대형분으로써 전남 지역 마한고분을 대표하는 유적으로 그 중요성이 인정되어 전라남도 지정문화재(전라남도기념물 제83호/1986. 2. 7.)로 보호·관리되고 있다. 내동리 쌍무덤에 대한 최초 조사는 1986년 목포대학교박물관에 의해서 실시된 지표조사에서 4기가 확인되었으나(목포대학교박물관, 1986), 이후 민묘가 조성되는 과정에서 1기가 멸실되었다. 이처럼 학술적·역사적인 중요성에도 불구하고 발굴조사가 진행되지 않은 채 3기에 대해서 정비·복원하였다.

재단 전남문화재연구소에서는 내동리 쌍무덤의 성격과 가치를 규명하고자 전라남도에서 추진하는 '영산강 마한문화권 개발 기본 계획(2017. 12.)'의 일환으로 연차적인 학술조사 계획을 수립하여 발굴조사를 진행하였다. 조사는 분구 형태 및 규모, 매장주체시설 등에 대한 현황을 파악함으로써 축조시기와 배경, 성격 등을 규명하고자 하였다. 조사는 2018~2021년에 걸쳐 3차 조사를 진행 중이며, 2018년에 실시한 시굴조사의 결과를 토대로 연차적인 발굴조사 계획을 수립하여 1호분에 대한 조사와 함께 2021년에는 2호분에 대한 시굴조사까지 병행하여 진행 중이다. 1호분에 대한 주구와 분형에 대한 조사결과 대형의 방대형분으로 밝혀졌다.

영산강유역에서 방대형분의 등장은 분구의 대형화를 촉진함과 동시에 묘제도 다양하게 변화되는 양상을 보이면서 고총고분으로 발전해 간다. 특히, 영암 시종면 일원에는 다수의 방대형분이 분포하고, 옥야리 방대형분에 대한 조사를 필두로 하여 새로운 묘제 및 분구의 축조방식 등이 확인되기도 하였다.

이글에서는 영암지역의 방대형분을 대표하는 내동리 쌍무덤에 대한 조사성과를 검토하였다. 이와 함께 최근 영산강유역에서 다수 확인되는 방대형분에 대한 현황과 분형에 대해서 살펴보고 내동리 쌍무덤이 방대형으로 축조된 고고학적 의의와 축조배경을 살펴보고자 한다.

II. 방대형분의 분포와 연구 성과

1. 분포 및 입지

영산강이 위치하는 전남지역은 지형적으로 산지지형의 특색과 평야지형의 특색이 반영된 곳으로, 지리적으로는 서쪽과 남쪽은 바다와 접해 있어 해안지형을 이루며, 다도해를 형성하고 있다. 이처럼 전남지역은 대륙과 바다를 제공해주는 자연환경을 갖추고 있고, 유적의 입지조건에 대륙과 해양의 특색을 반영하여 전남서부지역을 서부내륙권과 서부해안권으로 구분하

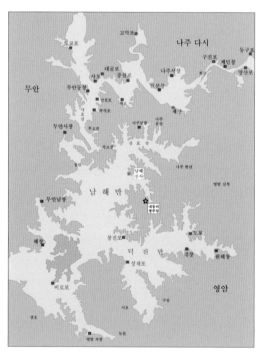

〈그림 1〉 영산내해 및 포구현황(영산강하구언 축조전)

고 영산강 중·하류인 영암과 나주지역을 서부해안권으로 설정하였다(김진영, 2021).

1980년대 영산강하구둑이 건설되기 이전까지 과거 영산강 하류는 남해만, 덕진만 등으로 칭해졌고, 현재의 강폭보다 6배가 넓은 내해가 발달하였으며, 해안선을 따라 길목마다 다수의 포구가 조성되었다〈그림 1〉.

이것은 고분의 입지

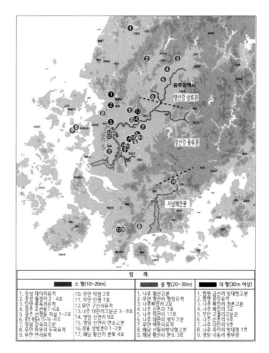

<그림 2> 영산강유역 방대형분 분포도
(곽명숙, 2020 재편집)

가 강의 수운에 가까운 저평한 구릉이나 평지에 분포하고, 영산강 중·하류에서 밀도가 높다는 점과 상통한다. 특히 대형분의 밀도가 높은 영암 시종지역과 나주 반남지역은 서해바다와 내륙의 길목에 해당되는 요충지로 내적으로는 넓은 평야지대와 육로 등을 배경으로 성장할 수 있는 요인과 외적으로는 중국, 일본 등과의 긴밀한 대외관계망을 형성할 수 있는 지정학적 요소를 갖추고 있다.

내동리 쌍무덤의 입지도 이러한 지정학적 위치 속에서 자리하며, 확인된 부장유물 등에서 당대의 치열했던 국제관계를 엿볼 수 있다.

영산강유역에서 확인된 방대형분은 약 31개소 정도에 이른다. 영산강은 수계로 구분하면 상류권(장성·담양·광주) 6개소, 중·하류권(나주·영암·함평·무안) 22개소, 서남해안권(해남·장흥) 3개소이다. 이 중에서도 중·하류권에 속하는 영암 시종과 나주 반남지역을 중심으로 높은 밀도를 나타낸다.〈그림 1·표 1〉

지금까지 영산강유역에서 확인된 고분의 변천은 분형의 변화와 매장주체부 등을 기준으로 분류하고 있다(임영진, 2002·2014; 최성락, 2009; 김낙중, 2009; 한옥민, 2020). 이중에서 고분의 분형을 기준으로 변천과정을 설명한 김낙중과 한옥민의 분류안을 정리하면 다음과 같다.

먼저 김낙중은 분형을 기준으로 제형, 원대형, 방대형, 전방후원형, 원형(반구형)으로 구분하였고, 변천단계에서는 복합제형분 단계(복합제형분1-목관중심→복합제형분2-목관·옹관 병용), 고총(옹관분-고총→초기석실분), 백제식 석실분 단계로 정리하였다. 한옥민도 고분의 분형에 중심을 두고 제형분→방대형분→원(대)형분→전방후원분으로 분류하고, 제형분을 제외한 분형들은 고총화된 단계부터 출현한 것으로 설명하고 있다.

다음으로 분구의 규모는 살펴보면 직경이나 폭을 기준으로 10~20m(소형), 20~30m(중형), 30m 이상(대형)으로 구분할 수 있고, 현재까지 소형은 29개, 중형은 9개, 대형은 9개가 확인되었다. 30m 이상 대형에 속하는 고총급은 영산강의 중·하류에 집중되거나 함평 금산리 방대형분과 같이 서해바다와 인접하거나 조망되는 곳에 자리한다. 소형급은 전역에서 비교적 고르게 분포하며, 영산강 상류인 광주나 장성, 담양에서는 소형급만 확인되고 있다. 이는 조사된 취락현황과 비교해 보았을 때, 광주 동림동·하남동, 담양 태목리 등과 같은 거점취락의 입지가 영산강 상류에서 다수 확인되는 것과는 상반되는 현상으로 구제발굴조사와 관련된 지역별 조사 건수의 불균형과 관련된 것으로 추정할 수 있다.

⟨표 1⟩ 영산강유역 방대형분 현황

(　) 잔존·추정

연번	유적명	입지	규모(m) 길이×너비×깊이		매장시설 중심묘제	매장시설 배장묘	편년	권역
1	장성 대덕리	구릉사면		(7.4×6.6)×?	석곽	-	5C후엽	영산강 상류권
2	장성 월정리	구릉사면	2호	8×7.9×?	-	-	5C후엽	
3			4호	7.8×6.4×?	-	-		
4	광주 평동A(원두)	평지	15호	11×10.05×?	-	-	(5C후엽~6C전엽)	
5			16호	11.3×8.95×?	-	-		
6			41호	12.3×9.6×?	-	-		
7	광주 산정동 지실	구릉말단	1호	(15.2)×?	-	-	(5C후엽)	
8			2호	(15.08)×?	-	-		
9	광주 오선동	구릉말단	1호	19.47×10.1×?	-	-	5C후엽~6C전엽	
10			2호	16.8×8.9×?	-	-		
11			3호	12.4×8×?	-	-		
12			4호	11.8×8.8×?	-	-		
13			5호	6.4×(6.4)×?	-	-		
14			6호	11.2×10×?	-	-		
15	담양 중옥리	구릉말단		(11.2)×(6.12)×?	-	-	(6C전엽)	
16	장흥 상방촌B	평지	1호	9.36×9.24×?	목관1	목관3	5C전엽	서남해안권
17			2호	10.4×8.96×?	목관1	-	5C전엽	
18	해남 황산리 분토	구릉사면	3호	20.5×(17.5)×?	목관1	목관1, 옹관1	5C전엽~중엽	
19			4호	(12)×(9.5)×?	석곽1	옹관2	5C전엽~중엽	
20	해남 신월리	구릉사면		20×14.1×1.5	석곽1	-	5C전엽	
21	무안 인평	산사면	1호	13×11×0.8	목관1, 옹관1	목관2, 옹관2	3C후엽~4C전엽	영산강 중·하류권
22	무안 덕암	구릉말단	2호	13.7×13.5×2.5	옹관3	-	5C 3/4~4/4	
23	무안 구산리	구릉말단		12.2×9×2	옹관1	옹관5	5C후엽~6C전엽	
24	무안 연리	구릉사면		12.7×12.5×?	옹관1	-	(5C후엽)	
25	무안 고절리	구릉말단		38.2×37.47×3.78	석곽?	옹관1,석곽1	6C전엽	
26	무안 맥포리	산능선		27×?×4	석곽?	-	5C후엽	
27	무안 평산리 평림	구릉사면		20.25×18.3×?	-	-	(5C후엽)	
28	무안 하묘리 두곡	구릉사면		14.4×?	-	-	(6C전엽)	
29	나주 신촌리	구릉말단	7호	20×?	-	옹관1	(5C후엽)	
30		구릉사면	9호	30×27×5	옹관11		5C후엽~6C전엽	

31	나주 대안리	구릉말단	3호	19×18×(5)		옹관?	(5C후엽~6C전엽)	영 산 강 중 · 하 류 권
32		구릉능선	8호	10.75×8.95×1.45~2.87		옹관4		
33		구릉사면	9호	44.3×34.9×7.35~8.41		옹관9		
34	나주 대안리 방두	구릉말단		(20)×(2.5)	옹관1	옹관2	5C후엽	
35	나주 덕산리	구릉말단	11호	20×16×?		옹관2	(5C후엽)	
36	나주 복암리	구릉말단	2호	20.5×14.2×4~4.5		-	(5C후엽)	
37			3호	42×38×6	석실1	목관1, 석실12, 옹관23, 석곽4	5C후엽~7C전엽	
38	나주 정촌	산사면		30×7	석실1	목관1, 옹관6, 석곽4, 석실2	5C후엽	
39	나주 횡산	구릉말단		25×2.5~3	?	옹관3, 석실1	(5C후엽)	
40	영암 신연리	구릉사면	9호	19×16×2	목곽2	목관1, 옹관4	4C전엽~후엽	
41	영암 신연리 연소	평지		14.3×14.1×2.8		옹관1	5C후엽~6C전엽	
42	영암 갈곡리	구릉정상		(18)×(1.5)	석곽?	-	5C후엽~6C전엽	
43	영암 옥야리 방대형	구릉정상	1호	30.0×26.3×3.3	석실1	목관1, 옹관4, 석실1	5C중엽~후엽	
44	영암 내동리 쌍무덤	구릉말단	1호	53×33.6×4~7	석실1	옹관3, 석곽2, 석실2	5C 2/4~6C 1/4	
45	함평 중랑	산능선		30×30×?	석곽?	-	5C후엽	
46	함평 금산리 방대형	구릉정상		54×46×8.9	석실?	-	5C후엽~6C전엽	

2. 축조방식

영산강유역에서 방대형분의 출현은 고총고분의 축조를 알리는 지표이기도 하다. 일반적으로 이전 단계인 제형분의 높이가 평균 3m 내외로 분구가 형성되기 때문에 분구를 축조하는 기술적 발달이 방대형분 단계보다 미발달했음을 알 수 있다. 방대형분과 같은 대형의 분구를 축조하기 위해서는 고도로 발달된 토목기술이 적용되었을 것이며, 이를 조합할 수 있는 사회적 변화상도 유추해 볼 수 있다. 이처럼 고분축조에 반영되는 분구는 매장시설의 일부분이자 당시대에는 선진적이면서도 다양한 토목기술이 확인되는 토목구조물이라고 정의하였다(홍보식, 2013).

우선, 방대형분에 사용된 '방(方)'의 사전적 의미는 네모라는 뜻을 말하지만 방위나 방향 같은 땅의 개념이자 나라나 국가를 뜻하기도 한다. 방대형분의 평면 형태나 규모 등의 양상에서 방(方)의 사전적 의미와 통하는 땅의 개념에는 영역적인 부분을, 나라의 개념에는 통치와 관련된 정치적인 부분을 대비해 볼 수 있을 것이다. 지금까지 여러 고분들이 조사되었지만, 의외로 방대형분의 축조기술을 확인할 수 있는 자료는 많지 않다. 영산강유역에서 확인되는 고총고분에서는 분구의 수직과 수평에 의한 확장사례가 많고 복합적인 분구확장에 의한 경우가 많다. 따라서 방대형분 조사에서 최초 축조단계부터 방대형으로 기획하여 완성된 영암 옥야리 방대형분의 분구축조 단계를 3단계(김낙중, 2014)와 5단계(전용호·이진우, 2013)로 구분하여 살펴보고자 한다.

먼저 3단계 구분을 살펴보면, 1단계에는 기반구축이 진행되는 단계로 분구 평면에 맞게 정지하고 석실이 축조될 범위보다 넓게 기초를 다진다. 2단계에는 중심매장 시설인 횡구식석실을 축조하면서 분구를 함께 성토하는데, 횡구를 통한 시신안치가 이 단계에서 진행되며, 시신 안치 후에 묘도를 폐쇄하고 제사를 지낸 후 다시 성토한다. 마지막 3단계는 분구 외형을 마무리하기 위한 성토가 이루어진다.

5단계 구분을 정리하면, 1단계에는 최초 묘역조성 및 분구 기반 성토가 진행된다. 2단계에는 고분의 입지 선정과 구지표면의 정리(삭토 및 성토)하여 묘역조성과 분구 설치를 하면서 축조방식으로 토재 등의 분구공정을 사용하면서 기반을 성토한다. 3단계에는 중심 매장주체부보다 약간 넓은 범위로 토재 등을 사용하여 쌓아 매장주체부의 기반을 조성한 다음에 매장주체부 설치를 위한 성토를 진행한다. 4단계에는 분구 중앙의 매장주체부를 중심으로 지망상의 분할 성토가 본격적으로 이루어지면서 매장주체부의 완성과 함께 매장주체부를 밀봉하기 위한 성토공정도 함께 진행된다. 마지막으로 매장주체부를 밀봉하면서 분구를 성토하고, 이후 분구를 최종적으로 방대형으로 피복하고 원통형토기를 수립하는 마지막 단계를 진행하면 최종적으로 분구의 축조가 마무리된다.

이처럼 방대형이라는 새로운 분구유형의 등장은 분구를 축조하는 과정에서 성토재의 사용과 구획하는 분할성토 등의 개념을 적용한다. 이것은 이전 단계인 제형분 단계에서는 찾기 어려운 축조기법으로 성토재라는 새로운 방식을 사용하여 구획하는 성토방식은 가야지역에서 확인되는 현상과 비슷하다. 따라서 5세기 중엽 이후 새롭게 확인되는 방대형의 출현은 영산강 중·하류지역의 재지세력들에게 지배의 당위성을 보다 강화할 목적으로 외부 집단의 선진적인 분구 축조기술을 수용하였던 것으로 보인다.

Ⅲ. 내동리 쌍무덤의 조사 성과

1. 분구

분구의 평면형태는 최초 시굴조사과정에서 남쪽·동쪽①·서쪽② 트렌치에서 확인된 주구의 형태와 잔존 방향을 추정하여 방(대)형 내지는 제형으로 추정하였다. 분구의 조사결과 최초 제형(?)에서 방대형의 분구형태로 변화되었던 것으로 확인할 수 있었다. 이러한 분형의 형태 변화는 영상강유역 대형분구의 조성과정에 확인되는 수평·수직 확장의 분구축조 변화과정을 잘 보여주고 있다. 현재까지 조사결과 고분의 장축방향은 북동-남서 방향이고, 확인된 규모는 길이 53m, 너비 33.6m, 잔존 높이 4~7m이다.

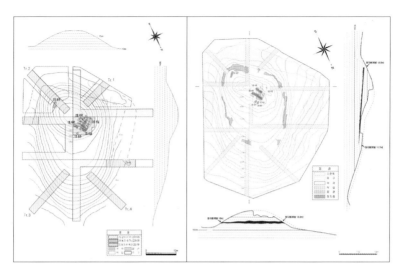

〈그림 3〉 영암 내동리 쌍무덤 1호분 분구 평 · 단면도(1차/2차)

1) 분구 층위(남-북)[1]

남-북 방향의 트렌치 조사결과 분구 토층은 5개의 기준층과, 10개의 세부층으로 구분된다. 토층양상을 살펴보면 I층은 황갈색점토(10YR 5/4)로 분구를 성토하기 위한 기초작업인 정지층으로 원지형의 경사도를 유지하며 조성되었다. 10~25㎝ 정도의 두께로 정지하였으며, 원지형의 경사각을 따라 분구의 가장자리로 갈수록 얇아지는 양상이 확인된다.

II층은 갈색사질점토(10YR 4/6)와 정지층인 황갈색점토(10YR 5/4) 덩이가 다량 혼합된 층이다. II-1층은 회갈색점토(7.5YR 5/2)로 점토 덩어리(토괴)를 부분적으로 활용한 구획선으로 추정된다. III층은 암갈색사질점토(7.5YR 3/4)로 II층과 동일하게 정지층인 황갈색점토(10YR 5/4)

---

1) 2019년도에 조사된 1차 약식보고서 참조(전라남도문화관광재단 전남문화재연구소, 2019,『영암 내동리 쌍무덤 문화재 정밀발굴조사 용역 약식보고서(유인물)』.)

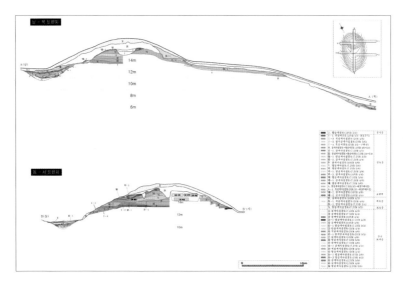

〈그림 4〉 영암 내동리 쌍무덤 1호분 토층도

덩이가 혼합된 층이며, Ⅲ-1층은 암갈색사질점토(7.5YR 3/3)로 간층에
해당된다. Ⅳ층은 갈색사질점토(10YR 4/6), Ⅴ층은 명갈색사질토(7.5YR
5/8), Ⅵ층은 명갈색사질토(7.5YR 5/6)이다. Ⅱ층과 Ⅲ층은 정지층의 점
토 덩이가 다량 혼합된 층으로 유사한 성토재가 확인되고, Ⅳ층부터 Ⅵ층
까지는 사질성분이 강한 성토재로 쌓은 특징이 있다. Ⅱ~Ⅵ층까지는 성
토층으로 거의 수평적으로 성토되었다.

　Ⅶ층은 명갈색사질점토(7.5YR 5/8) 층으로, Ⅶ-1층은 갈색사질점토
(7.5YR 4/6)로 분구 외연을 따라 성토한 층이다. Ⅷ층은 명갈색사질점토
(7.5YR 5/6)로 주구 상면 퇴적층이다. 모서리 부분에서 확인된 교란부 내
부 퇴적토는 1층 갈색사질점토(10YR 4/6), 2층 갈색사질점토(10YR 4/4)
로 되어있다. Ⅸ층은 갈색사질점토(10YR 4/3)로 1986~1990년 사이 정
비 · 복원 과정에서 복토된 복토층이며, Ⅹ층은 암갈색사질점토(7.5YR

3/3)로 잔디 식재로 인한 나무뿌리 및 유기물이 포함된 표토층이다.

2. 매장시설[2]

매장시설은 조사결과 분구 중심부에서 서쪽으로 약간 치우쳐서 확인되며, 해발고도 15.8m에 위치한다. 발굴조사는 시굴조사에서 노출된 석재의 양상을 파악한 뒤 시굴트렌치를 기준으로 10×10m의 그리드를 설정하여 정비·복원과정에서 훼손된 복토층을 제거 하였다. 현 지표에서 약 2m 정도 성토되었으며, 복토층을 제거하자 복원 이전에 해당되는 분구를 확인할 수가 있었다. 그러나 매장주체부를 확인하는 과정에서 정비·복원 당시 사용된 굴삭기 장비의 차륜바퀴 등의 흔적과 부분적으로 가축에 사용되었던 의료폐기물(주사기, 약병 등)들을 매몰한 구덩이 등의 교란된 부분이 다수 확인되어 노출당시에는 상당부분 훼손이 되었을 것으로 추정하였다.

〈그림 5〉 영암 내동리 쌍무덤 1호분 1차(左)·2차(右) 조사 전경

하지만, 1차 조사에서는 석실 1기, 석곽 2기, 분구의 남쪽 사면에서 옹

---

2) 2020년도에 조사된 종합 약식보고서 참조(전라남도문화재단 전남문화재연구소, 2020,『영암 내동리 쌍무덤 정밀 발굴조사 약식보고서(유인물)』).

관 1기를 조사하였고, 2차 조사에서는 석실 1기, 옹관 2기 등 총 7기에 해당되는 매장주체부를 확인할 수가 있었다. 이중에서도 쌍무덤의 성격을 알 수 있는 대표적인 매장주체부인 석실(1호)과 석곽(1호 · 2호)을 중심으로 조사내용을 정리하였다.

1) 석실

1호 석실은 1호와 2호 석곽 하단에서 확인되어 1차 조사에서는 대략적인 윤곽만 확인할 수 있었다. 조사결과 장축 320cm, 단축 220cm, 깊이 185cm의 규모로 확인되었으며 개석 상부 일부분은 후대에 석곽을 축조하는 과정에서 일부 훼손되었으나 도굴되지 않은 완전한 형태로 조사되었다. 석실의 축조는 분구 정지층에서 분구 하부를 약 1m 정도 높이로 조성한 뒤 그 위에 매장시설과 함께 분구를 동시에 구축하는 방식으로 축조하였다.

장축방향은 북동-남서이며 해발고도는 13.2m이다. 석실 축조는 바닥 정지 후 소형 판석재를 석실 내 바닥 가장자리를 'ㅁ'자로 돌려서 구획한 후에 목재로 장축 5매, 단축 4매씩 각각 구축한 다음 벽석을 일정 높이씩 쌓아 올린 뒤 외벽은 점토와 토낭(土囊)[3]으로 보강하였다.

---

3) 토낭(土囊)의 정확한 정의는 점성이 많은 점토를 주머니(롤백 방식, earth bag)에 담거나 둥글둥글한 형태로 가공하여 운반한 흙(보쥬 방식, bouge)을 말한다. 따라서 토낭이라는 용어를 사용하려면 섬유질 성분의 주머니 등을 사용하는 롤백 방식 또는 낙엽, 왕겨 등의 유기물 등을 활용하여 표면을 피복한 보쥬 방식 등의 흔적이 확인되었을 경우에 해당된다(권순강, 2011, 「함안 가야리 제방유적」, 『고대 동북아시아의 수리와 제사』, 학연문화사). 반면에 토괴(土塊)는 토낭과는 다르게 점성이 강한 흙덩어리 상태로 사용된 것을 말한다. 현재 내동리 쌍무덤에서 확인된 점토덩어리는 자연과학적 분석중이다. 하지만 육안상에서도 완벽한 보쥬 방식을 유지하고 있어 세부적으로 설명할 때는 토낭으로, 분구의 성토재를 설명할 때는 좀 더 넓은 의미로 점토블럭이라는 표현을 쓰고자 한다.

석실의 북동 방향은 장대석을 개석으로 활용하였으나, 남서 방향은
중ㆍ소형 판석재를 놓고 점토로 개석 전체를 밀봉하였다. 석실 내부의 내
벽은 점토를 일정한 두께로 발라서 벽면을 미장처리 하였다. 유물은 철기
유물과 장신구는 부장되지 않고 단벽(서벽) 바닥에 치우쳐 군집으로 토
기들이 다수 부장되었다. 출토된 토기류는 호형토기(조족문), 장경호, 단
경호, 유공광구소호, 완 등이 확인되었다. 다만 석실 개석 제거 후 석실
상면(북벽)에서 금동관편(입식 부분), 유공광구소호, 광구호, 금제이식,
다량의 구슬류가 출토되었다. 추가적으로 석실 바닥의 중심 둑을 제거하
는 과정에서 정중앙에서 단독으로 완형의 중국 청자잔이 출토되었다.

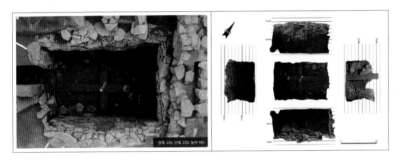

〈그림 6〉 1호 석실 내부구조

2) 석곽

총 2기의 석곽이 확인되었고, 2기 모두 1호 석실 개석 상면에 점토 등으
로 일정부분 정지하고 축조하였다. 1호 석곽은 1호 석실의 개석 상면에 축
조 당시 개석의 밀봉토로 사용된 점토층 상면에 적갈색사질토를 바닥에
정지한 뒤 축조하였다. 장축방향은 북서-남동 방향이며, 잔존 규모는 장벽
440cm, 단벽 80cm, 잔존 높이는 30~60cm 정도로 세장형의 형태이다.

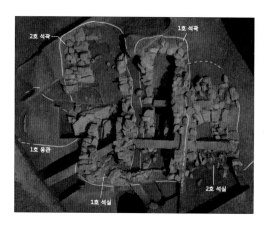

〈그림 7〉 내동리 쌍무덤 매장주체부 1차 조사 현황

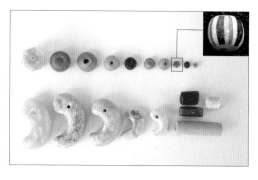

〈그림 8〉 2호 석곽 출토 장식구슬 출토현황

벽석은 1단에서 8단 정도 남아 있으며 축조방식은 부정형 할석을 이용하여 가로나 세로방향으로 장·단벽에 놓고 그 위로 벽석과 벽석 사이에 회황갈색의 점토를 덧바른 뒤 다시 할석재를 쌓아 올리는 방식이다. 바닥면은 남벽 주변으로 확인되고, 모래를 약 5cm 정도 깔았으며, 중단부 부분에서는 북쪽 방향으로는 하단에 축조된 1호 석실의 개석이 후대에 침하되면서 바닥이 함몰되면서 하단부 벽석도 일부가 무너진 상태로 확인된다. 후대에 정비·복원과정에서 북서벽이 모두 유실되었다. 출토유물은 남벽 바닥에서 숫돌과 중단부에서 자라병, 광구소호, 발형토기, 철검, 북벽 주변에서 단경호, 완, 직구호, 발형토기가 확인되었다. 북서 단벽 사이에서 다양한 구슬(곡옥, 다면옥, 금박중층옥 등)과 함께 금제이식 1점이 출토되었고 묘실바닥의 장벽 부근에서 관못이 부분적으로 확인되었다.

2호 석곽은 1호 석곽 좌측에 연접하여 확인되고 있으며 1호 석곽과 비교적 나란한 방향으로 축조되었으며 규모는 1호 석곽보다 크다. 장축방향은 북서-남동 방향이며, 잔존 규모는 장벽 520cm, 단벽 90~100cm, 잔존 높이는 30~70cm 정도이며 형태는 세장형이다. 남쪽 단벽은 1단 정도 남아 있으며 서쪽 장벽은 6단 정도 남아 있다.

축조 방식은 1호 석곽과 유사한 양상으로 축조되었다. 1호 석실의 개석을 바닥면으로 사용하여 적갈색사질토로 정지한 뒤 부정형 할석을 이용하여 가로나 세로방향으로 장·단벽에 놓고 그 위로 회황갈색의 점토를 덧바른 뒤 다시 할석재를 쌓아 올리는 방식으로 확인된다. 석곽의 바닥은 정지면 위로 점토를 이용해 다짐처리 하였다. 바닥면은 남벽 주변으로 확인되며, 중단부에서 북쪽 방향으로는 1호 석실의 영향으로 바닥면이 주저앉은 상태로 확인된다.

남쪽 바닥면에서 유공광구소호, 배, 직구호를 비롯하여 다양한 형태의 장식구슬(곡옥, 관옥, 채색유리옥, 유리다면옥, 금박중층옥)과 금제이식 4점 등이 출토되었다. 바닥 중앙에서 대도 2점의 날 부분이 남쪽 단벽인 두향을 바라보게 나란하게 배치된 상태로 확인된다. 대도는 길이가 각각 90cm, 100cm가 넘는 장도로서 1점은 손잡이 부분을 X-ray촬영 결과 일본에서 확인되는 우결고계식(隅抉尻系式) 계통으로 추정되었다[4].

2호 석곽의 좌측 장벽 일부가 교란으로 인하여 훼손되었는데, 이 부분에서 다량의 관못과 금동관의 장식에 사용된 장식 유리구슬과 영락, 금동관 대륜부 편들이 다량으로 출토되었다. 장식 유리구슬은 코발트색의 구슬로 2/3 정도 하단부에 금동으로 도금하여 대륜부 상부 부분을 장식하기 위해 사용했던 형태가 1호 석실에서 출토된 금동관 입식 부분의 장식유리 구슬과 동일한 것으로 확인되었다. 이러한 제작기법은 나주 신촌리 9

---

4) 영산강 상류에 대규모로 조영된 고분군인 담양 서옥 12호 석곽과 전방후원형 고분인 함평 예덕리 신덕고분에서도 확인되었다.

호분 금동관에 장식된 유리구슬과 매우 비슷한 양상을 보여주고 있다. 이 외에도 금동관 대륜부편에서 蹴彫기법을 사용하여 외면을 장식한 것을 확인할 수가 있었다.

3) 옹관

옹관은 총 3기가 확인되었다. 2기 모두 1호 석실 북동쪽 출입시설의 성 토층 굴광 후 2기의 옹관을 나란히 배치한 상태이다. 나머지 1기는 매장 주체부에서 남쪽 방향으로 약 6m정도 떨어진 분구의 남쪽 사면부에서 확 인되었다. 1차 조사 당시에 확인된 1호 옹관은 1호 석실을 조사하는 과정 에서 추가로 1호와 동일한 선상에서 2호 옹관이 확인되었다. 2기 모두 후 대 정비 복원과정에서 소옹부의 저부가 훼손된 상태로 노출되었다. 잔존 길이는 1호의 경우 120×78(잔존)cm, 2호는 109×70(잔존)cm이며 출토유 물로는 1호에서 개배, 소형토기, 구슬, 2호의 경우 철촉, 구슬 등이 출토 되었다.

3호 옹관은 남쪽 사면부에서 출토되었으며 구지표 바로 위에 형성된 성토층을 굴광하여 묘광을 마련하였는데 옹관 동체부 상면은 후대에 모 두 훼손되었고 하부만 남아있는 상태이다. 합구식으로 출토유물은 대옹 주변으로 단경호 1점과 뚜껑으로 사용된 개와 대호 2점, 내부에는 철촉과 다량의 유리 다면옥, 소옥 등의 구슬이 출토되었다.

3. 주구

주구의 형태, 범위 등을 명확하게 파악하기 위해 시굴조사 당시 확인된 주구의 윤곽선을 중심으로 제토하여 전체적인 주구의 양상을 파악하였다. 조사결과 정비·복원 과정에서 현재 형태를 조성하기 위해 분구의 사면부와 주구가 맞닿는 부분에 굴삭기 등의 장비 흔적들이 상당부분 확인되며 주구의 일부에서도 부분적으로 훼손된 양상들이 확인되고 있다.

부분적인 트렌치조사결과 퇴적양상은 크게 3~4개 층으로 구분되며, 남쪽과 동쪽① 주구의 하층은 점성이 강한 반면 상층으로 갈수록 사질성분이 강한 것을 확인할 수 있었다. 맨 아래에는 회갈색점토(7.5YR 5/2)가 쌓여 있는데, 석립이 섞여 있고 질감이 거칠며 점성이 강하다. 주구가 사용될 당시 퇴적된 층으로 생각되며 이 층에서 토기편들이 소량 출토되었다. 그 위층의 갈색사질점토(7.5YR 4/6)와 암갈색사질점토(7.5YR 3/3)는 주구의 기능이 상실된 후 자연 퇴적된 층으로 유물은 거의 확인되지 않았다. 퇴적은 부분적으로 차이가 있는데, 주구 상층은 일부 분구 성토층에서 흘러내려 퇴적된 양상도 일부 확인된다. 남쪽 주구의 잔존 길이는 36m 내외이며, 너비 5~6m, 깊이 2.2m 정도 동쪽 주구의 너비는 4~5m, 깊이 1.2m로 지형에 따라 주구 폭이 좁아지는 양상이다.

출토유물은 남쪽 트렌치 주구에서는 주로 개배류와 연질고배가 출토되는 반면에 동쪽 1트렌치와 남동쪽 트렌치에서는 형상 하니와(形象埴輪)와 원통형토기편이 정형성을 유지하면서 다수 출토되고 있어 주목된다. 형태는 사슴을 형상화한 것으로 기벽이 얇고 몸통 부분에 격자타날이 전면에서 확인되고 있다. 원통형토기는 중앙 돌대를 중심으로 상·하의 원공이 투공되어 있으며 상면이 하면의 원공보다 크고 외면에 격자타날이 확인된다. 기존의 다른 유적에서 출토된 원통형토기와는 형태상 상반되는데 형상 하니와의 기대 부분일 가능성도 있다. 우리나라에서는 현재까지 형상 하니와가 출토된 유적은 내동리 쌍무덤과 함평 금산리 방대형고분(말, 닭, 사람 인면)이 유일하다.

Ⅳ. 축조집단의 성격과 영암일대 방대형분의 출현과 의미

1. 기원과 쌍무덤 석실 구조

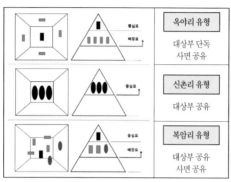

(θ:옹관, ■:석실·석곽)

〈그림 9〉 방대형분 계층 유형분류(2019, 한옥민 재편집)

방대형분은 기저부의 네 변이 서로 대칭을 이루고 변과 변이 만나는 지점에 모서리를 갖으면서 법면이 안식각을 유지한 채 성토되어 편평하거나 기울기를 갖는 분정을 마련해 완성된 고총고분을 말한다(한옥민, 2019). 영산강유역에서 축조되는 방대형분의 출현은 5세기 중엽경으로 편년되고 분구 축조기법이 확인된 영암 옥야리 방대형 1호분이 가장 먼저 축조된 것으로 보고 있다. 고총고분 등장과 함께 조성된 방대형분은 제형분 축조 전통에서는 찾아볼 수 없는 요소(단독 입지, 석곽 조성 등)들이 새롭게 확인되고 있다. 특히 방대형계통의 분형이 나타나면서 기존고분의 매장시설에서 확인되던 혈연적 공동체 중심에서 특정 혈족 중심으로 대체되고(김낙중, 2014), 계층간의 분화와 변화·발전되는 현상이 확인되고 있다는 점이다.

이처럼 마한사회의 변화상과 연관되어 확인되는 문헌자료를 살펴보면 연구자마다 견해 차이는 있으나 각각의 사서에서 확인되는 마한 소국에 해당되는 新彌(晉書) = 沈彌多禮(日本書紀) = 止迷(梁職貢圖)의 실체가 동일하고 그 위치에 대해서도 나주, 해남, 강진, 고흥, 제주 등(권오영,

2018) 지역을 감안할 때 영산강 상류권에 비해 중·하류권이 한 단계 늦은 단계까지 마한세력들의 전통적인 문화양상을 유지했을 가능성이 있다. 특히 옹관을 매장으로 대표되는 재지적 전통을 고려한다면 6세기 전엽 당시의 시대상황을 보여주는『梁職貢圖』에 언급되는 마한소국 중의 하나인 止迷를 영산강 중·하류권 세력으로 볼 수 있다. 영산강유역에서 축조되는 방대형분의 연원은 한반도 중서부지역과 관련된다고 보는 것이 일반적이다. 고대 중국의 우주관에서 天圓地方 사상의 영향을 받았으며 (성낙준, 1997), 중국 황하유역에서 後漢중엽부터 방형에서 원형으로 변화되는 방향성과 관련된 것으로 추정하고 있다(임영진, 2002).

내동리 쌍무덤이 자리한 시종면 일대에는 다수의 방대형고분이 분포하고 있다. 내동리 쌍무덤은 영산강유역에서 확인되는 방대형분 중에서도 규모가 큰 대형의 방대형분으로 매장주체부와의 관계설정에 따른 유형으로 보면 복암리 유형으로 분류할 수 있다. 다음으로 매장주체부 조사결과 석실구조가 완벽하게 확인된 내동리 쌍무덤 1호 석실을 대상으로 내부구조를 살펴보면 우선 최근 영산강유역 일원에서 조사사례가 증가하고 있는 소위 '수혈계 횡구식석실' 계통으로 볼 수 있다. 수혈계 횡구식석실은 영암 옥야리 방대형고분에서 명명된 이후에 활발한 조사가 진행되면서 나주 가흥리 신흥고분 등과 같이 사례가 증가하고 있는 추세이다.

석실의 내부구조는 할석재 석재를 사용한 눕혀쌓기를 하였으나 석실을 쌓는 기술적인 측면에서는 조금 떨

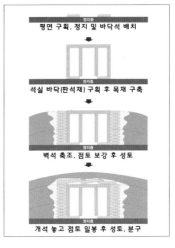

〈그림 10〉 1호 석실 축조 모식도(안)

어진다. 하지만 지금까지 확인된 동일한 계통의 석실중에서는 규모가 크고 내부를 마감한 형태도 매우 독특하다. 내부에는 별도의 시설을 하지 않고 점토다짐 후 벽석을 축조한 걸로 파악되나 석실 가장자리를 비교적 편평한 석재로 입구 부분을 제외하고 전체를 돌린 구조이다. 즉 이러한 시설은 내부에서 확인되는 벽석을 따라서 구획된 목주시설의 하중을 유지하기 위한 결구의 기초시설로서 마치 목곽 같은 구조로 내부를 결구를 한 것으로 추정된다. 그런 다음에 상부는 개석의 하중을 버티기 위해서 종과 횡으로 가로지르는 보와 같은 목재로 시설물을 설치했을 것으로 판단된다. 현재까지 석실 내벽에 목주시설이 확인된 구조 중에서 목주시설을 설치한 다음에 쌓은 공통점은 있으나 영암 옥야리 방대형분이나 나주 가흥리 신흥고분은 내벽 단면이 凹자 형태로 마치 목주가 벽석내부에 위치하는 양상이다.

하지만 내동리 쌍무덤은 평면 구획과 바닥석을 배치한 다음에 목주를 결구한 형태의 벽석을 축조하여 반대적으로 凸자 형태의 단면을 보여준다. 벽석을 축조하면서 외벽에 점토로 전체를 보강하여 벽석이 하중에 의해서 변형되지 않도록 한 다음에 동시에 성토한 것으로 보인다. 또한 내벽을 독특하게 정선된 점토를 사용하여 마치 회벽을 바르듯이 내벽 전체를 균일하게 미장하면서 점토 벽면이 매끈해지도록 마무리에 정성을 들였던 흔적을 확인 할 수 있다. 석실 내부의 벽석에 점토를 사용하여 미장으로 마감을 한 사례는 영산강유역에서는 유일하며, 이러한 공정을 실시하였기 때문에 후대에 목주 부분이 부식되면서 벽석 내부에 결구된 목주의 단면 형태나 결구 방식을 명확하게 확인할 수가 있었다. 목주를 사용하여 석실내부 시설을 축조한 내동리 쌍무덤 축조집단의 기술력을 엿볼 수가 있다.

2. 분구축조에 반영된 기술적 특징

방대형분에 적용된 분구축조 기술을 엿볼 수 있는 자료는 점토블럭[5](토
낭 · 토괴 등) 등이다. 점토블럭은 분구 성토를 위한 구획요소와 묘광을 구
축하기 위해 사용하는 성토재의 하나로 고대 토목기술의 나침반과 같은 것
이다. 점토블럭, 표토블럭, 토괴, 토낭 등으로 일반적 성토재와는 다른 점
성이 강한 재료를 분구 축조과정에 사용한다(조영현, 1993; 권오영, 2011
· 2012; 전용호 · 이진우, 2014).

〈표 2〉 영산강유역 점토블럭 및 분할(구획 · 제방형) 성토를 활용한 고분현황

| 연번 | 분형 | 유적명 | 성토재 | 성토방식 | 매장주체시설 | | 편년 |
					중심묘	배장묘	
1	방대형	나주 신촌리 9호분	점토블럭	제방형(토제) · 단면 복발형성토	옹관	-	5C후엽~6C전엽
2		무안 덕암	점토블럭	구획성토, 구축묘광	옹관	-	5C 3/4~4/4
3		나주 횡산		구획성토	?	옹관, 석실	(5C후엽)
4		나주 복암리 3호분	점토블럭	제방형(토제) · 단면 복발형성토	석실	목관, 옹관, 석곽, 석실	5C후엽~7C전엽
5		영암 신연리 연소	점토블럭	분할성토	옹관		5C후엽~6C전엽
6		영암 옥야리 방대형	점토블럭	구획성토, 구축묘광	석실	목관, 옹관, 석실	5C중엽~후엽
7		영암 내동리 쌍무덤	점토블럭	제방형(토제) · 단면 복발형성토	석실	옹관, 석곽, 석실	5C 2/4~6C 1/4
8	전방후원형	나주 가흥리 신흥[6]	점토블럭	구획성토, 구축묘광	석곽	옹관	5C 중반경
9		영암 태간리 자라봉	점토블럭	제방형(토제)성토, 분할(구획)성토	석곽	-	6C초 · 전반
10		광주 월계동	점토블럭	-	석실		6C전반
11		담양 성월리 월전	점토블럭	-	석실	석곽	6C초반
12	원형	담양 중옥리 서옥	-	구축묘광	석곽		5C후반~6C전반
13		해남 만의총	점토블럭	구축묘광	석곽		5C후반~6C초반
14		고흥 길두리 안동		구축묘광	석곽		5세기 4/4
15		나주 장동리	점토블럭		-	옹관, 석곽	4C중 · 후엽(옹관)~6C중엽(석곽)

---

5) 점토를 뭉쳐서 만든 덩어리를 성토재로 사용한 경우 판 위에서 말리거나 틀에서 찍

점토블럭을 활용한 성토재가 확인되는 고분의 분형은 방대형, 전방
후원형, 원형 등과 같이 대부분 고총고분에서 확인되고, 매장주체는 옹
관·석곽·석실 등 매우 다양하게 나타난다. 확인되는 현상은 방사상이
나 동심원상, 거미줄(지망상) 형태의 구획열을 만들고 있으며(구획성토),
매장시설을 안치하기 위해 구축묘광을 조성한 특징이 있다. 또한 분구가
대형화 되면서 축조당시부터 붕괴 방지와 원활한 성토를 위해서 가장자
리에 제방처럼 쌓은 제방형(토제)·단면 복발형성토[7] 등도 확인된다. 내
동리 쌍무덤에서도 트렌치 조사결과 매장주체부가 위치한 곳을 중심으로
점토블럭(토낭)이, 분구 가장자리에는 점성이 매우 강한 회색점토를 활
용한 제방형성토가 확인되었다. 다음으로 지형적인 관점에서 보면 영산
강유역 일대는 충적평야가 매우 발달한 곳으로 양질의 점토를 손쉽게 구
할 수 있다. 그렇기 때문에 고분을 축조과정에서 새로운 기술의 확산과
함께 이를 활용하여 좀 더 효율적으로 분구의 붕괴와 유실을 방지하기 위
해서도 자연스럽게 주변에서 구하기 쉬운 재료인 점토블럭을 활용하는

어내어 일정한 형태를 만든 것. 습기가 많은 점토 덩어리를 뭉쳐서 부정형의 형태
를 취한 것, 흙을 채취하는 과정에서 우연히 혼입된 점토 덩어리 등으로 구분할 수
있다. 일정한 형태, 대개의 경우 육면체의 형태를 띤 것은 점토브릭, 부정형은 점토
블럭이라 구분하고 있다(권오영, 2012). 이외에도 고분 축조에 사용된 토괴를 대부
분 점토블럭으로 보는 견해가 있다(손재현, 2015).

6) 현재까지도 분형에 대한 논란이 있는 고분으로 조사자는 전방후원형고분으로 외형
   을 복원 하였으나 이러한 분형에 대한 반론도 많은 상태이다.

7) 분구 성토의 축조방식에 있어 외향타입, 내향타입, 수평쌓기, 제방형 성토로 분류
   하고 있다(靑木 敬, 2009). 제방형 성토는 봉분 외측에 제방처럼 성토하는 방식이
   다. 이외에도 복발형성토, 내향경사성토라는 용어도 사용되는데 분구 외곽에 단면
   복발형(∩)으로 다져 쌓고 안쪽의 공간을 채워 마무리하는 방식(임영진, 2002), 내
   향경사성토는 주구를 만들 때 형성된 흙을 주구와 대상부의 경계면을 따라 둑처럼
   돌려 쌓은 후 둑 안쪽을 차례로 메워나가면서 분구를 조성하는 방식(성낙준, 1997)
   이다. 용어는 조금씩 다르게 표현하고 있으나 전체적인 맥락에서 살펴보면 모두 유
   사하거나 동일한 표현방식이라고 볼 수 있다.

방식이 등장했을 것이다.

영산강유역에서 분구에 성
토재를 활용한 고분으로 가장
이른 시기는 4세기 중·후엽
(옹관)부터 축조를 시작한 나
주 장동리고분을 필두로 하여,
5세기 중엽 이후부터 6세기 전

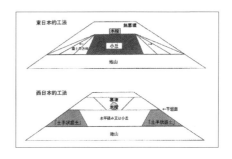

〈그림 11〉 일본고분 축조기법(靑木 敬, 2009)

엽에 걸쳐 광주, 담양, 나주, 영암, 무안, 해남, 고흥 등 영산강유역고분의 분
구축조에 적용되고 있음을 알 수 있다. 분구 성토과정에서 점토블럭 등의 성
토재를 사용하는 것은 고총고분이 축조되는 시작점과 맞물리는데, 시기적
으로 방대형분이 축조되기 시작하는 시점과 비슷하다. 이 시기는 가야지역
에서도 다양한 성토재를 활발하게 적용한 고총고분이 등장하는 시기이기도
하다. 고총의 분구 축조기술은 기후 환경과 관련하여 중국의 북방지역의 판
축기법과 달리 남방지역[8]에서는 오래 전부터 건물이나 제방 축조에 사용해
자연스럽게 발생한 것으로 보는 의견도 있다(전용호·이진우, 2014). 분구
를 축조하는 과정에서 점토블럭을 이용하여 축조하는 방식은 한반도와 일
본 등에서 확인되는데, 한국에서는 주로 방사성구획이 확인되고, 일본에서
는 동심원상구획이 확인되는 경향성을 보이며, 영암 옥야리 방대형 1호분에
서는 결합된 방식이 확인되었다(국립나주문화재연구소, 2014).

방대형분과 관련하여 기존의 분형과 중요한 차별점은 제형분등에서
확인되는 수평 확장이라는 개념이 없이 처음부터 고분의 축조 당시부터
방형의 분형 설정과 새로운 개념의 점토블럭을 사용한 토목건축학적 기

---

8) 약 4,800년전에 해당하는 중국 신석기시대인 양저문화기의 인공 퇴적층에서 초포
   낭(草包囊)이 양호한 상태로 발견된 팽공(彭公) 저수지유적에서 대규모 토목공사
   에 토괴와 동일한 수법을 이용하여 축조한 사례가 확인되었다.

술, 고총화된 분구내 중심 구획선 설정과 제방형 성토방식 등의 다양한 공정 방식이 적용되며 분형을 완성한다는 점이다.

방대형분 중에서 가장 빠른 5세기 중엽경에 축조된 영암 옥야리 방대형 1호분의 축조와 함께 등장하는 횡구식석실이 새롭게 출현한다. 영산강유역의 전통적인 장법을 활용한 다장의 옹관이 주축이 아닌 분정부에 새로운 양식의 수혈계 횡구식석실 1기만을 조성한 점은 종전의 재지적인 고분과의 장법과는 분명한 차이를 보여주고 있다. 또한 분구 축조에 점토블럭을 이용하여 방사상 및 동심원상 구획선을 만드는 구획성토, 구축묘광 등에 새로운 토목기술을 적용하였다. 이 같은 토목기술은 종전의 분구축조에 비해 규모가 커지고, 노동력과 경비가 많이 들어가며, 장기간에 걸쳐 진행되기 때문에 설계단계부터 경제성, 효용성, 안전성과 같은 주변에 미치는 영향 등을 충분히 고려하여야 했을 것이다.

방대형				
유적 (시기)	영암 옥야리 방대형 (5C중엽~후엽)	무안 덕암 2호분 (5C 3/4~4/4)	나주 신촌리 9호분 (5C후엽~6C전엽)	나주 복암리 3호분 (5C후엽~7C전엽)
전방후원형	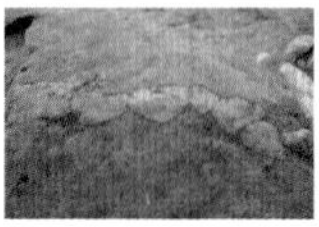			
유적 (시기)	나주 가흥리 신흥 (5C중반)	영암 태간리 자라봉 (6C초·전반)	담양 성월리 월전 (6C초반)	
원형		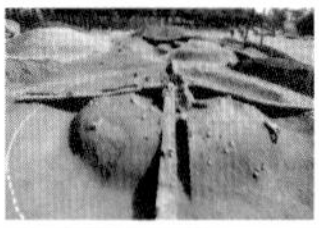		
유적 (시기)	나주 장동리 (4C중·후엽~6C중엽)	담양 중옥리 서옥 (5C후반~6C전반)	해남 만의총 3호분 (5C후반~6C초반)	

〈그림 12〉 영상강유역 점토블럭을 활용한 분형별 고분현황

3. 출토유물의 의미와 대외교류

지금까지 총 3차에 걸쳐 조사가 진행되고 있는 내동리 쌍무덤에 대한 성과는 석실 2기, 석곽 2기, 옹관 2기와 사면부에서 옹관 1기 등 총 7기의 유구가 확인되었고 분구 주변으로 다수의 토광묘 등이 확인되고 있다. 석실과 석곽의 축조는 중층으로 약 20~50년 정도의 시간 차를 두고 축조되었던 것으로 추정된다. 매장시설의 축조 순서는 먼저 1호 석실이 축조되었고, 일정 시간이 흐른 후에 1호 석실의 개석 상면 위에 1호 석곽을 축조하기 위하여 편평하게 정지한 후에 1호 석곽을 축조하였고, → 2호 석곽 → 2호 석실 순으로 축조되었다. 특히 석곽은 구조가 영산강유역에서는 축조 사례가 없는 세장방형의 평면을 보이며, 다량의 유물들이 부장되었다. 이중에서도 다양한 형태로 제작된 구슬류가 확인되고 있는데 신라, 가야, 동남아시아 등에서 확인되는 채색구슬과 유리 곡옥·다면옥 등이 출토되었다. 현재 다양한 유리구슬 시료를 파괴·비파괴 및 과학적인 분석과 원료의 산지 추정 등의 연구를 진행하고 있다. 특히 이번에 처음으로 금동관 장식구슬에 대한 성분분석을 시도하였다. 분석결과가 제시되면 영산강유역 마한 수장층에서 주도한 다자 교류에 대한 객관적인 자료를 제공할 것으로 보여진다.

다음으로 유물을 통한 교류를 살펴보면 국제적 교류관계를 입증하는 유물들이 다수 확인되었다. 대표적으로 중국 청자잔, 금동관편, 형상 하니와, 쓰에끼토기편, 다양한 구슬 등이다.

| 중국(청자) | 일본(형상 하니와) | 신라·가야, 동남아시아(유리) |

〈그림 13〉 영암 내동리 쌍무덤 1호분 출토 대외교류 유물 비교 검토

내동리 쌍무덤에서 가장 주목되는 유물 중 하나가 중국 청자잔과 금동 관(편)이다. 중국 청자잔이 출토된다는 점은 중국과의 역동적 관계를 보여주며, 1호 석실의 정중앙의 바닥에 부장하였고, 공주 수촌리 II-4호 석실 출토품과 형태적인 면에서 가장 비슷하다. 내동리 쌍무덤에서 북쪽으로 3㎞(도보 50분) 정도 떨어진 옥야리고분군 19호분 2호 옹관에서도 유사한 청자잔이 출토되었다(고대문화재연구원, 2021). 전체적인 양상이 쌍무덤보다는 하위급의 고분으로 쌍무덤 축조집단과의 매우 긴밀한 관계가 있었을 것으로 추정된다.

청자잔은 남한 전역을 통틀어 총 10여점에 불과하며, 이중에서도 무령왕릉에서 6점, 수촌리와 능산리사지에서 각각 1점이 확인되었다. 영산강 유역에서 2점이 출토되었다는 것은 영암 시종면 일대 세력의 위상을 짐작케 한다. 여러 면에서 유사성을 가진 공주 수촌리 II-4호 석실에서 출토된 청자잔과의 교차연대를 통하여 내동리 쌍무덤 청자잔의 제작연대를 유추해 보고자 한다. 먼저 수촌리 II-4호 석실에서 출토된 중국자기는 청자잔, 흑유계수호, 흑갈유반구병, 흑갈유전문도기호 등이 있으며, 보고자는 같이 출토된 중국자기 중에서 절대연대 추정이 가능한 흑유계수호를 비교검토하여 제작 연대를 중국 동진~남조시대에 해당되는 5세기 전·중반으로 보았다. 수촌리 출토 청자잔은 경우 기년명이 확인된 중국의 南京 謝 溫墓(406년)와 廣東 新興 南朝墓(435년) 출토품과 매우 유사하다.

내동리 쌍무덤 청자잔도 크기에서 약간 다를 뿐 제작 형태, 기형 등에서 매우 유사하다. 완형에 일부 자연 박락이 있으나 내저면에 원각이 돌아가고 녹회색유, 황회색유가 시유되었으며 빙렬이 전체적으로 확인된다. 또한 바닥면은 유약을 시유하지 않았고 성형도구에서 용기를 떼어낼 때 나타난 흔적들이 있다. 이처럼 매우 동일한 형태를 보여주는 수촌리 청자잔을 참고한다면 내동리 쌍무덤 청자잔도 중국의 동진~남조시대에 해당되며, 석실 내에서 같이 출토된 토기들의 연대로 보았을 때 5세기 2/4분기 정도로 보는 것이 타당할 것이다.

이외에도 6세기 중반 이후~7세기초로 편년되는 백제산성인 여수 고락산성 집수정(원형 석축)에서 청자완으로 추정되는 유물이 있다[9]. 보고서에는 녹유완으로 분류되어 있으나(최인선외, 2003) 녹색의 유약이 시유된 청자로 추정된다.

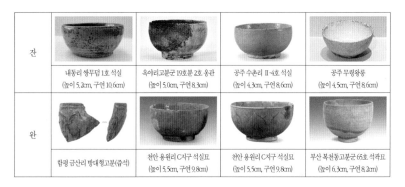

잔	내동리 쌍무덤 1호 석실 (높이 5.2cm, 구연 10.6cm)	옥야리고분군 19호분 2호 옹관 (높이 5.0cm, 구연 8.3cm)	공주 수촌리 II-4호 석실 (높이 4.3cm, 구연 8.6cm)	공주 무령왕릉 (높이 4.5cm, 구연 8.6cm)
완	함평 금산리 방대형고분(줍석)	천안 용원리 C지구 석실묘 (높이 5.5cm, 구연 9.8cm)	천안 용원리 C지구 석실묘 (높이 5.5cm, 구연 9.8cm)	부산 복천동고분군 65호 석과묘 (높이 6.3cm, 구연 8.2cm)

〈그림 14〉 영산강유역 출토 중국청자 비교 검토

금동관(편)은 1호 석실 장벽에서 금동관의 입식부(편)가 확인되었고, 장식구슬과 대륜부편, 영락 등의 금동관 장식편들은 2호 석곽에서 출토되었다. 1호 석실을 조사하는 과정에서 내부 퇴적토와 석실 바닥에서

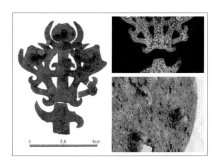

〈그림 15〉 1호 석실 출토 금동관(左) 뒷면 세부(右)

9) 관련 자료는 박성배 학예연구사(순천대학교박물관)의 도움을 받았으며, 추후 자세한 검토가 필요할 것으로 판단된다.

출토된 유물들의 양상을 살펴보면 추가장과 관련된 흔적 등을 찾을 수 없다. 현재로써는 출토된 금동관 입식부(편)는 2호 석곽 출토유물로 보는 것이 타당할 것이다. 출토된 금동관은 비록 일부편만 출토되었으나 잔존 입식부분의 편을 통해서 나주 신촌리 9호분과 비교를 통해서 형태를 파악할 수가 있다. 문양과 형태상 거의 동일하나, 중심을 이루는 입식 부분이 내동리 쌍무덤은 한 개로 구성되었고, 나주 신촌리 9호는 넓은 하나의 줄기에 세로로 가늘게 두 줄을 투조하여 세 개의 줄기로 구성된 점이 다르다. 세부적인 장식적인 부분에서는 내동리 쌍무덤은 축조기법을 나주 신촌리 9호분은 타출기법이 사용된 점이 가장 큰 차이를 보여주나 전체적인 문양이나 크기면에서 매우 유사하여 외관의 형태를 신촌리 9호분을 통해서 유추할 수 있다.

금동관에 장식된 영락과 장식구슬의 부착상황을 살펴보면 우선 장식하고자 하는 위치에 구멍을 뚫고 영락이 장식된 금동실을 좌우로 꼬아서 구멍에 삽입한 다음 빠지지 않게 뒷면을 단면 'ɱ' 형태로 고정하였고, 장식구슬은 앞면에 흔들리지 않게 밀착하고 단면 'T' 형태로 고정하였다. 또한 영락의 부착하는 방식은 신촌리 9호분과 비슷하나 장식구슬에서 가장 큰 차이를 보여준다고 할 수 있다. 내동리 쌍무덤은 꽃봉오리 정중앙에 부착하고 신촌리 9호분은 꽃봉오리 끝부분에 장식된다는 점이다. 시기적으로 타출보다는 축조가 시기적으로 빠르기 때문에 신촌리 9호분보다는 좀 더 앞선 것으로 볼 수 있다.

나주 신촌리 9호분과 유사한 형태의 금동관이 영암에서도 출토되어 다시 한 번 금동관의 출자문제가 부각되고 있다. 물론 금동관의 장식적인 意匠면에 있어서는 그 기원을 백제계통으로 보는 것이 인정된다. 하지만 백제권역에서는 유사한 형태의 금동관이 출토된 바 없고, 현재까지는 유일하게 영산강유역에서만 출토되고 있기 때문에 자체제작설의 가능성도 높다.

독창적인 금동관의 제작은 아마도 당시 백제의 정치적 변화와 함께 혼란을 피해서 백제 유이민 세력의 유입이나 재지계 장인집단[10]들을 통해서 백제 금동관의 형태를 모방하여 현지에서 제작한 것으로 보인다(이범기, 2019).

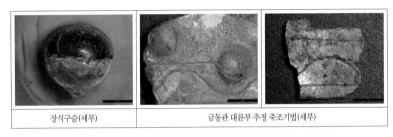

| 장식구슬(세부) | 금동관 대륜부 추정 축조기법(세부) |

〈그림 16〉 영암 내동리 쌍무덤 1호분 출토 금동관 세부모습(고배율 현미경 사진)

이외에도 2호 석곽의 퇴적토에서 도자형 철촉, 꺾쇠, 관정 등이 확인되고 있다. 이중에서 대도와 함께 은장의 원두정으로 장식된 방형금구와 재갈(1條線 2連式 鑣轡)이 다량의 철촉편과 함께 뒤섞여서 보존처리과정에서 추가로 확인되었다. 2호 석곽의 경우 영산강에서는 사례가 없는 세장된 석곽으로 축조된 점, 유물중에서 유리다면옥의 출토와 함께 가야와의 연관성을 추정해 볼 수 있다. 또한 전면조사가 진행되지 않아서 전체적인 출토양상을 파악하기 힘들지만 주구에서 형상하니와가 약 2.7~3m 간격으로 일정하게 출토되고 있다.

---

10) 아직은 이 지역에서 활동했던 재지계 장인집단들의 실체는 명확하지는 않는다. 다만 금동관이 출현하던 시기를 전후로 백제가 한강유역권을 상실한 후 왕권의 약화에 따른 지배시스템의 붕괴의 영향으로 특수직군에 해당되던 장인집단들의 통제가 불가능한 웅진천도 전후로 추정된다. 강력한 시스템을 유지하던 붕괴는 필연적으로 혼란을 틈타서 일부 집단은 마한지역까지 이동했을 가능성이 매우 높다. 따라서 백제왕권의 지배시스템을 받던 중앙의 장인집단들은 해당 지역의 지배세력의 풍부한 재원과 신분보장을 장인집단들은 기술력을 제공하는 관계형성을 통해서 모방의 형태로 제작되었을 가능성도 있다.

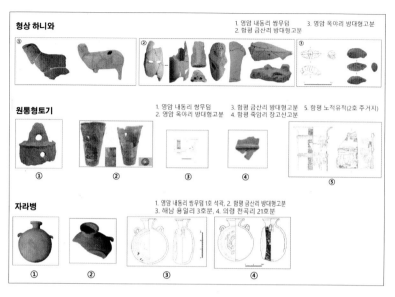

<그림 17> 영암 내동리 쌍무덤 1호분 출토 대외교류 유물 비교 검토

내동리 쌍무덤에서 출토되는 중국 청자 및 금동관편과 같은 유물들은 고분 부장품으로서 신분 상징적 위세품의 성격이 매우 강하였음을 나타낸다(성정용, 2010). 당시로서는 수입품이었던 청자가 고급 일상용기에서 원거리교역에 의한 희소성까지 더해져 고분의 주인공의 권위를 상징하는 위세품으로서의 성격도 보여준다. 이처럼 위세품의 출토는 지역사회 수장층과 고대 한·중·일과의 교류관계를 넘어서 동남아시아까지 확대되었음을 알 수 있는 중요한 자료이다.

이상의 내용을 종합해 볼 때 영암 내동리 쌍무덤은 5세기 2/4~6세기 1/4분기에 조성된 내동리 쌍무덤의 주인공이 시종면 일대를 포함한 명실상부한 영암 일대 마한의 최고 수장층이었음이 분명하게 확인되었다고 볼 수 있다.

내동리 쌍무덤처럼 영산강유역권에서 금동관 같은 최고의 위세품이 부장된 고총고분들의 주인공들은 권역별 중심소국에 해당되고 이 소국들은 chiefdom 사회에서도 great chiefdom 사회로 구분할 수가 있을 것이다(임영진, 2014). 결국은 이러한 중심 소국이 중심이 되어 주변 소국들과의 적절한 균형을 유지하던 중추적인 역할을 담당했을 것이고, 이러한 균형과 주변 소국들과의 공존을 위해서는 필수적으로 국내외적인 활발한 교류가 진행될 수밖에 없었을 것이다. 내동리 쌍무덤의 주인공들은 지리적인 이점을 최대한 활용하여 활발한 네트워크를 구축하였고, 그 범위는 동남아시아-중국-한반도-일본 등지에 이른 것으로 보인다.

이외에도 확인된 다양한 형태의 유물들은 서해바다와 영산강을 통한 수로로 이어지는 남해만에 입지한 지리적인 이점을 최대한 활용하여 국제 해상을 통한 국제적 교류관계의 성립은 수장층 개인은 물론이며 그 주변을 포괄한 지역 세력들과 함께 새로운 물질자료의 획득과 다양한 정보를 교환할 수 있는 계기를 제공한다. 물론 물질자료의 해석을 내부적 입장 또는 외부적 입장에서 시도하느냐에 따라 주체를 다르게 볼 수 있지만(최성락, 2014), 무덤에 부장된 다종다양한 유물들의 조합이 특정 지역이 아닌 광범위한 공간적 지역에 걸쳐 확인된다면 국가 간의 영역에 의한 범주에서 찾는 것이 바람직하다고 보여진다. 대형분으로 새롭게 조성된 '방대형분'으로의 분형의 변화와 금동관(편) 등으로 보아서 일정한 공간적 영역을 아우르는 영산강유역 수장사회의 일면을 확인할 수 있다. 또한 지금까지는 미시적인 시각에서 접근한 영산강유역의 고분사회의 사회체제연구, 재소국간의 네트워크연구, 당대 산물인 생산과 유통관계(이정호, 2019) 등을 포함하여 다양하고 넓은 시각을 가지고 접근할 필요가 있다.

V. 맺음말

영암 내동리 쌍무덤은 영산강유역에서도 대형분에 속하는 영암을 대표하는 방대형 고분으로 지리적으로 영산강의 본류가 합류하여 서해바다로 연결되는 지정학적 위치에 자리하고 있다. 특히 내동리 쌍무덤이 위치하는 시종일대는 영암지역 마한세력을 대표하는 고총고분이 밀집한 곳으로 대형의 방대형고분의 밀도가 높다. 현재까지 조사결과 매장시설과 출토유물로 볼 때 5세기 2/4~6세기 1/4에 해당되며, 내동리 쌍무덤 피장자들은 다각도로 연결되는 국제적인 네트워크 속에서 활발하게 활동했던 마한의 최고 수장층으로 볼 수 있다. 영암 시종면 일대는 지리적 · 지정학적 위치 속에서 關門社會의 기능을 하였다고 할 수 있다.

영산강에 존재했던 마한세력들을 당시 백제가 이 지역에 대한 강력한 지배력을 추진하는 과정에서도 馬韓小國의 권위와 전통을 계승한 마한 수장층들의 주체적이면서도 강력한 위상을 확인시켜주고 있다. 이와 함께 금동관 등이 출토된 상징적인 의미는 5세기 후반 이후에 마한의 중심세력이 영암에서 나주 반남으로 이동되었다는 견해가 일반적이었으나, 내동리 쌍무덤의 조사로 나주 반남고분군 축조 세력과 동등한 세력을 유지했거나, 보다 능가했던 세력이 공존했음을 보여주고 있다.

【참고문헌】

권오영, 2011, 「고대 성토구조물의 성토방식과 재료에 대한 시론」, 『한강고고』5, 한강문화재연구원.

권오영, 2012, 「고대 성토구조물의 재료에 대한 재인식」, 『백제와 주변세계』, 성주탁교수추모논총 간행위원회.

권오영, 2018, 「마한제국의 출현과 동북아정세」, 『영산강유역 마한제국과 낙랑·대방·왜』, 전라남도문화관광재단 전남문화재 연구소.

권순강, 2011, 「함안 가야리 제방유적」, 『고대 동북아시아의 수리와 제사』, 학연문화사.

곽명숙, 2020, 「영암 신연리 연소고분의 조사 성과」, 『영암 마한고분의 조사 성과와 활용방안』2020 왕인박사현창협회 학술회의, 왕인문화연구소.

김낙중, 2009, 『영산강유역 고분 연구』, 학연문화사

김낙중, 2014, 「방형·원형 고분 축조기술」, 『영산강유역 고분 토목기술의 여정과 시간을 찾아서』, 대한문화재연구원.

김낙중, 2021, 「영산강유역권 마한 관련 유적의 최신 조사 성과와 의의」, 『호남고고학보』67, 호남고고학회.

김진영, 2021, 「전남지역 초기철기시대 주거와 무덤」, 『호남지역 청동기시대 재조명』국제학술대회, 국립나주문화재연구소·국립완주문화재연구소·한국청동기학회.

성낙준, 1997, 「옹관고분의 분형-방대형과 원대형을 중심으로-」, 『호남고고학보』5, 호남고고학회.

성정용, 2010, 「백제 관련 연대결정자료와 연대관」, 『호서고고학』제22집, 호서고고학회회.

신 준, 2019, 「무령왕릉 출토 중국 자기의 용도와 산지 고찰」, 『무령왕릉 다시 보기』15, 학연문화사.

손재현, 2015, 『한국 고대 성토구조물에서 토괴의 사용과 그 의미』, 한신대학교 석사학위논문.

이정호, 2018, 「영산강유역 고분으로 본 수장세력」, 『영산강유역 마한사회의 여명과 성립』, 전라남도문화관광재단 전남문화재연구소.

이정호, 2019, 「영산강유역 옹관묘 연구현황과 과제」, 『아시아의 독널문화』, 2019 국제학술대회, 국립나주박물관.

이범기, 2016, 『영산강유역 고분 철기 연구』, 학연문화사.

이범기, 2019, 「고분 출토 금동관과 식리로 살펴본 마한·백제·일본과의 비교 검토」, 『지 방사와 지방문화』22-1, 역사문화학회.

이범기, 2020, 「영암 내동리 쌍무덤의 조사성과와 의미」, 『영암 마한고분의 조사성과와 활용방안』2020 왕인박사현창협회 학술회의, 왕인문화연구소.

임영진, 2002, 「영산강유역의 분구묘와 그 전개」, 『호남고고학보』16, 호남고고학회.

임영진, 2014, 「전남지역 마한 제국의 사회 성격과 백제」, 『백제학보』11, 백제학회.

전용호·이진우, 2014, 「영암 옥야리 방대형고분의 대외교류상과 연대관」, 『고분을 통해 본 호남지역 대외교류와 연대관』, 제1회 고대 고분 국제학술대회, 국립나주문화재연구소.

조영현, 1993, 「封土墳의 盛土方式에 관하여」, 『영남고고학보』13, 영남고고학회.

최성락, 2014, 「영산강유역 고분연구의 검토Ⅱ-고분을 바라보는 시각을 중심으로」, 『지방사와 지방문화』17-2, 역사문화학회.

최영주, 2017, 「고분 부장품을 통해 본 영산강유역 마한세력의 대외교류」, 『백제학보』20, 백제학회.

홍보식, 2013, 「고총고분의 봉분 조사방법과 축조기술」, 『삼국시대 고총고분 축조기술』, 진인진.

한옥민 2019, 『영산강유역 고분의 축조 연구』, 진인진.

青木 敬, 2009, 『古墳築造の研究-墳丘からみた古墳の地域性-』, 八一書房.

青木 敬, 2013, 「日本古墳の墳丘築造技術とその系統」, 『連山洞古墳 意義評價』국제학술 심포지엄 자료집, 부산대학교박물관.

고대문화재연구원, 2021, 『영암 옥야리고분군 발굴조사 약식보고서(유인물)』.

목포대학교박물관, 1986, 『영암군의 문화유적』.

문안식 · 이범기 · 송장선 · 최권호 · 임동중, 2015, 『함평 금산리 방대형고분』, 전남문화예술재단 전남문화재연구소.

최인선 · 조근우 · 이순엽, 2003, 『여수 고락산성Ⅰ』, 순천대학교박물관.

전라남도문화관광재단 전남문화재연구소, 2019, 『영암 내동리 쌍무덤 문화재 정밀발굴조사 용역 약식보고서(유인물)』.

전라남도문화재단 전남문화재연구소, 2020, 『영암 내동리 쌍무덤 정밀 발굴조사 약식보고서(유인물)』.

영암 내동리 쌍무덤 1호분 출토 토기의 시기와 성격

서현주 (한국전통문화대학교)

Ⅰ. 머리말

Ⅱ. 내동리 쌍무덤 1호분 출토 토기 현황

Ⅲ. 내동리 쌍무덤 1호분 출토 토기의 시기와 성격

Ⅳ. 맺음말

Ⅰ. 머리말

영암 내동리 쌍무덤고분군은 시종면 소재지에서 와우리로 가는 삼거리의 서쪽, 성틀봉에서 뻗어내린 구릉의 말단부에 위치한다. 이 일대에는 4기의 고분이 존재하는 것으로 알려져 있으며, 1986년부터 1990년 사이에 고분군의 정비·복원이 이루어졌다. 고분군에 대한 조사는 1985년 목포대학교 박물관에 의해 지표조사, 1999년 전남대학교 박물관에 의해 정밀 측량조사가 실시된 바 있는데, 고분들 중 1기는 훼손되고 3기(1~3호분)가 남아 있는 상태였다. 1호분은 제형이나 장타원형, 2호분은 방형이나 원형, 3호분은 원형이나 방형으로 추정되었다.

그 중 가장 큰 고분인 1호분은 2018년부터 발굴조사가 실시되었는데, 2018년 시굴조사를 통해 주구와 분구 축조 양상, 매장시설이 확인되었다. 2019~2020년 1호분에 대한 1차와 2차 정밀발굴조사가 진행되어 여러 기의 매장시설과 금동관 장식편 등의 중요 유물이 출토되는 성과가 있었다(전남문화재연구소 2020). 쌍무덤 1호분은 토기도 많이 출토된 편이며, 주구에서 분주토기(하니와(埴輪))도 출토되어 다양한 유물 계통을 잘 보여준다. 1호분이 아직 발굴조사가 진행 중이고, 1·2차 발굴조사에 대한 보고서도 발간되지 않아 한계가 있지만, 현재까지 정리된 매장시설과 주구 일부에서 출토된 토기를 중심으로 내동리 쌍무덤 1호분의 축조 시기와 성격을 파악해보고자 한다.

Ⅱ. 내동리 쌍무덤 1호분 출토 토기 현황

1. 매장시설과 유물 출토상황

내동리 쌍무덤 1호분은 분구가 일부 파괴되었지만, 확인된 주구로 보아 단제형(短梯形)으로 추정된다(도면 1-1·2). 분구 내 매장시설은 분구 중심부에서 서남쪽으로 약간 치우친 곳에서 석실묘와 석곽묘, 옹관묘 등 6기가 함께 확인되었고, 동남쪽으로 따로 떨어진 곳에서 옹관묘 1기가 확인되었다(도면 1-2·3). 1·2차 조사 후 발간된 약식보고서(2020)를 바탕으로 내동리 쌍무덤 1호분의 매장시설별 유물 현황을 정리하면 다음 〈표 1〉과 같다.

〈표 1〉 영암 내동리 쌍무덤 1호분의 매장시설과 유물 현황

유구명	유구 특징	토기	금속유물	옥, 관정 등
1호 석실묘 (추정)	-1호와 2호 석곽묘의 하부에 위치 -구릉 상면을 정지 후 점토 깔고 다짐→ㅁ자형으로 판석재의 석렬 구축 후 목재 이용하여 석실 골조 구축, 벽석은 할석을 ㅁ형으로 1열 두르고, 벽면에 목주(장축 5기, 단축 4기) 설치 후 점토 미장, 긴 장대석들을 천장석으로 놓고 소형의 판재를 사이에 메운 뒤 점토로 밀폐 -바닥석은 확인되지 않으며, 석관 안치 추정 -규모:장축320㎝, 단축220㎝, 높이185㎝ -장축방향:북서-남동	-남서쪽 바닥:단경호3,직구호 -남서쪽 바닥가까운곳:직구호,개배배,장경호,유공광구소호,장경소호,개,완2 -중앙 바닥가까운곳:중국청자	-바닥:철기2	
2호 석실묘	-1호 석곽묘와 나란히 배치, 후대 정비복원 중 북석쪽 벽석 모두 훼손 -벽석 방형 또는 장방형 석재로 축조, 3단 잔존 -규모:잔존장벽170㎝, 잔존단벽120㎝ -장축방향:남동-북서	-퇴적토:토기 동체부편, 대각편		

1호 석곽묘	-벽석 1~8단 잔존 -평면형태:세장형 -규모:장벽440㎝, 단벽80㎝, 잔존높이30~60㎝ -장축방향:북서-남동	-남벽 바닥:자라병,장경소호,심발형토기 -북벽 주변:단경소호,단경호,직구호 -심발형토기	-중단부:철검 -중단벽과의 사이:금제이식	-중단벽과의 사이:곡옥,다면옥 등 -남벽 바닥:소형석침(?)추정 -장축쪽 바닥:관정
2호 석곽묘	-1호 석곽묘와 나란히 배치, 벽석 1~6단 잔존 -평면형태:세장형 -규모:장벽520㎝, 단벽90~100㎝, 잔존높이30~70㎝ -장축방향:북서-남동	-남쪽 바닥:유공광구소호,개배개,직구호 -1호 석실묘 개석 제거 후 퇴적토 조사 중(추정):유공광구소호,장경소호 -개배,개,장경소호,단경호,단경호 구연부편 -기대 대각편들	-남쪽 바닥:금제이식4,영락 -바닥:철제대도2 -장벽(교란)에서 금동관 파편과 영락 -1호 석실묘 개석 제거 후 퇴적토 조사 중(추정):금동장식구, 금동관 장식 등	-남쪽 바닥:다량의 곡옥,채색옥, 금박유리옥 등 -바닥:대도 주변 다량의 소옥 -장벽(교란)에서 금동유리옥 -1호 석실묘 개석 제거 후 퇴적토 조사 중(추정) 등 -장벽(교란):다량의 관정
1호 옹관묘	-석실묘와 석곽묘들의 북동쪽 성토부를 굴광하여 축조 -합구식 추정, 대옹부는 훼손되지 않은 채 확인되지만, 소옹은 정비복원 중 훼손된 것으로 추정 -규모:잔존길이120㎝, 너비100㎝ -합구부 점토로 밀폐	개배개,소형토기		소량의 옥
2호 옹관묘	-1호 옹관묘와 나란히 배치 -합구식 추정, 대옹부만 확인, 소옹은 훼손되어 바닥만 일부 확인		철기	소량의 옥
3호 옹관묘	-동남쪽에 따로 위치 -합구식 옹관, 옹관 하부만 남은 상태 -규모:전체길이192㎝ -장축방향:남-북 -합구부에 소옹 일부 삽입 후 점토로 밀폐	-주변:개배개,병,대호2	철촉	다면옥, 소옥 등
주구	남쪽:잔존길이36m, 너비5~6m, 잔존깊이2.2m 동쪽:너비4~5m, 잔존깊이1.2m	-남동쪽 트렌치:형상하니와·원통형부 -동쪽 트렌치1:형상하니와·동물형 -동쪽 트렌치2:형상하니와·동물형,연질고배,경질고배 등 -남쪽 트렌치: 개배, 연질토기		
분구		남서쪽 상면:대각편		

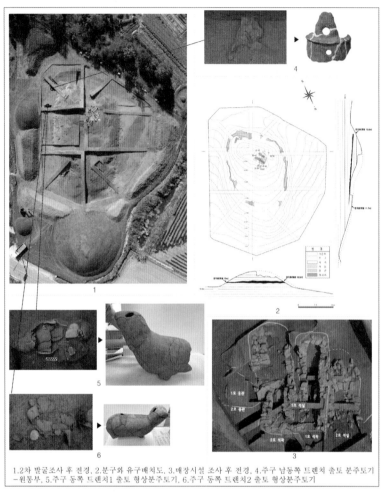

1.2차 발굴조사 후 전경, 2.분구와 유구배치도, 3.매장시설 조사 후 전경, 4.주구 남동쪽 트렌치 출토 분주토기
-원통부, 5.주구 동쪽 트렌치1 출토 형상분주토기, 6.주구 동쪽 트렌치2 출토 형상분주토기

〈도면 1〉 영암 내동리 쌍무덤 1호분 분구, 매장시설, 주구 유물 출토상황

2. 유구별 토기 현황

내동리 쌍무덤 1호분의 현재까지 발굴조사 결과 토기는 1호와 2호 석

실묘, 1호와 2호 석곽묘, 1호와 3호 옹관묘 등의 매장시설, 주구, 분구 상면 등에서 출토되었다.

1) 1호 석실묘[1](도면 2-상)

연번	유물명	특징	크기(cm)	도면 번호
1	완	-암회청색 경질(내면 자연유) -신부 낮은편, 말각평저, 짧은 외반구연	높이4.5, 구경17.9, 두께0.6	2-1
2	완	-암회청색 경질(소성 시 선상자국) -신부 낮은편, 말각평저, 직구	높이3.4, 구경13.2, 두께0.5	2-2
3	개배배	-암회청색,적황색 연경질	높이5.5, 구경15.2, 두께0.8	2-3
4	개	-호의 개 추정 -흑청색 경질(상면 재혼) -상면 중앙에 원형의 구획 돌선	높이2.7, 구경13.2, 두께0.4	2-4
5	장경소호	-암회청색 경질 -원저에 가까움	높이14, 구경11.8, 두께0.5	2-5
6	유공광구 소호	-회청색 경질(구연 상부 내면, 동체 상부 외면 재혼) -말각평저, 구경부는 동체부에 비해 벌어짐이 크지 않은 편, 동체 중부에 돌선 1줄과 원공	높이10.2, 구경10.4, 두께0.8	2-6
7	광구장경호	흑청색 경질(구연 상부 내면, 동체 상부 외면 재혼) -원저에 가까움, 경부에 돌선 2줄	높이19.9, 구경15.6, 두께0.5	2-7
8	직구호	-회갈색 경질(구연부와 동체 상부 재혼) -말각평저, 짧은 직구 -동체부 무문	높이13.8, 구경12.0	2-8
9	직구호	-암회청색 경질(소성 시 선상자국, 동체 상부 재혼, 동체부에 다른 토기와의 접촉흔, 개 덮어서 소성) -짧고 좁은 직구, 동체부 구형에 가까움. -동체부 전체적으로 조족수직집선문 타날 후 상부 문양 문질러 지워짐.	높이28, 구경11.8, 두께0.5	2-9
10	단경호	-암자색 경질(구연부 뒤틀리게 소성) -동체부 편구형 -동체 격자문 타날 후 상~중부에 횡침선 돌려짐, 동체 상부 문질러 지워짐.	높이30.7, 구경18.8	2-10

---

1) 1호 석실묘 내에서는 중국 청자잔이 함께 출토되었다(도면 2-13).

연번	유물명	특징	크기(cm)	도면번호
11	단경호	-회청색 경질(구연부~동체 상부 재흔, 구연부 뒤틀리게 소성, 동체 중부 눌리게 소성, 다른 토기와의 접촉흔) -동체부 편구형 -동체부 전체적으로 조족수직집선문 타날 후 상부 문양 문질러 지워짐.	높이31.0, 구경18.8, 두께0.6	2-11
12	단경호	-회청색 경질(구연부 뒤틀리게 소성, 동체 중부 다른 토기와의 접촉흔) -동체부 구형 -동체부 무문	높이30.8, 구경17.2, 두께0.6	2-12

2) 2호 석실묘

연번	유물명	특징	크기(cm)	도면번호
1	토기 동체부편	-호나 옹 동체 상부 파편 -흑청색 경질(상부 자연유) -외면 격자문 타날 후 목판조정흔 뚜렷, 내면 동심원 내박자흔	길이(16.0)	3-1
2	대각편	-대각 파편 -흑청색 경질 -중간에 돌선이 확인되어 2단으로 추정, 투창은 장방형 추정	높이(4.0)	3-2

3) 1호 석곽묘[2)]

연번	유물명	특징	크기(cm)	도면번호
1	단경소호	-회백색 연경질 -구연부 짧게 외반, 동체부 상당히 낮은 편, 저부 말각평저 -동체 중부 돌선 1줄	높이4.6, 구경12.9, 저경10.5	3-8
2	장경소호	-회청색 경질(구연 상부 내면, 동체 상부 외면 자연유) -경부 긴 편, 말각평저 -경부 중부, 동체 중부 각각 돌선 1줄 돌린 후 상하 2조의 파상문 각각 시문	높이12.4, 구경10.6, 저경6.0	3-9

---

2) 1호 석곽묘 내에서는 마연된 소형 석재도 함께 출토되었다.

3	심발형토기	-황갈색 연질 -구연부 짧게 외반, 평저 -동체부 (조족)수직집선문 타날	높이8.7, 구경9.9, 저경6.6	3-10
4	심발형토기	-황갈색 연질 -구연부 짧게 외반, 평저 -동체부 조족수직집선문 타날	높이11.0, 구경12.6, 저경7.9	3-11
5	직구호	-회청색 경질(동체 상부 재혼, 개 덮어서 소성) -직구이며 약간 긴 편, 동체부 구형, 원저이지만 편평하게 처리 -구연 중부에 돌선, 동체 중부에 약한 돌선 1줄 -바닥쪽 수직집선문 약하게 타날	높이16.4, 구경8.5, 저경6.5	3-12
6	단경호	-흑청색 연질(박리 심함) -구경부 짧지만 외반도 큰편, 동체 구형, 말각평저 -동체부 조족수직집선문 타날	높이17.0, 구경13.2	3-13
7	자라병	-회청색 경질 -동체 자라형, 상부 양쪽에 작고 구부러진 우각형의 귀 달림. -동체부에 목판조정흔 약하게 잔존	높이22.3, 구경11.0	3-14

4) 2호 석곽묘[3](도면 3-중)

연번	유물명	특징	크기(cm)	도면번호
1	개배개	-암회청색 경질(상면에 소성 시 선상자국) -드림부 긴 편	높이5.4, 구경11.0	3-15
2	개배배	-1/3정도 잔존 -암회청색 경질 -신부 두꺼운 편	높이4.2, 구경10.2	3-16
3	개배배	-절반정도 잔존 -명회색 연질 -신부 외면 회전깎기 정면	높이2.9, 구경11.5	3-17
4	개	-회청색 경질 -상면에 구획 돌선?	높이4.0	3-18
5	장경소호	-흑청색 경질(구연부 내면 자연유, 동체 상부 재혼) -저부에 집선문 무질서하게 타날, 동체 중부 돌선 1줄	높이13.6, 구경9.8, 두께0.7	3-19
6	장경소호	-저부 결실 -흑청색 경질(구연부 내면 자연유) -경부 중부, 동체 중부 각각 돌선 1줄	높이11, 구경10.5	3-20

---

3) 2호 석곽묘와 주변에서는 금동관의 파편이나 장식도 수습되었다.

연번	유물명	특징	크기(cm)	도면번호
7	유공광구소호	-회청색 경질(구연부 내면, 동체 상부 외면 자연유와 재혼) -원저 -경부 상부에 돌선 1줄, 하부에 수조의 파상문 시문, 동체 중부에 2줄의 약하게 횡침선 돌린 후 그 사이에 원공 1개	높이10.3, 구경10.2	3-21
8	유공광구소호	-회청색 경질(구연부 내면, 동체 상부 외면 자연유와 재혼) -원저 -경부 상부에 돌선 1줄, 하부에 수조의 파상문 시문, 동체 중부에 돌선과 원공 1개	높이12.9, 구경14.6, 두께0.6	3-22
11	직구호	-암회청색 경질(토기 전체 절반정도 재혼) -직구이며 좁은 편, 동체는 구형이지만 둥근 어깨 형성 -동체부 격자문 타날 후 상부 문양 문질러 지워짐.	높이12.6, 구경6.1, 저경7.1	3-23
9	단경호	-암회청색 경질(소성 시 선상자국, 구연부 뒤틀리게 소성, 동체 중부 눌리게 소성, 다른 토기와의 접촉혼,) -동체부 구형 -동체부 격자문 타날 후 동체 상~중부 문양 문질러 지워짐.	높이22.7, 구경14.7	3-24
10	단경호구연부편	-구연부 잔존 -회청색 경질(뒤틀리게 소성)	높이7.8	3-25
12	기대대각편	-발형기대의 대각 최상부 일부 잔존 -회백색, 속심 적갈색 연질 -대각 상부에 1줄의 횡침선을 돌린 후 그 위 2조, 아래 1조의 파상문 시문 -발부와의 접합을 위한 도구로 낸 홈집 확인	높이8.3, 대각높이7.1	3-26
13	기대대각편	-통형기대의 대각편 추정 -회백색 경질 -돌선 2줄 확인되며, 그 사이 2조의 파상문 3줄 시문, 종방향 돌대(내부 원형장식) 1줄 확인 -투창 1개 확인	길이7.8	3-27

5) 1호 옹관묘

연번	유물명	특징	크기(cm)	도면번호
2	개배개	-명회색 연경질 -약간 작은편, 동체 상면에 넓은 편평면 형성	높이3.6, 구경9.9	3-3
3	소형토기	-회청색 경질 -직구?, 동체부 구형 -동체 중부 양쪽에 원공 1개씩 뚫림.	높이3.7, 구경1.8	3-4

6) 3호 옹관묘[4]

연번	유물명	특징	크기(cm)	도면번호
1	개배개	-흑청색 경질(소성 시 선상자국) -약간 작은편, 드림부 상당히 긴 편, 약간	높이4.9, 구경9.7, 저경9.6	3-5
2	병	-경부가 상당히 좁아 병으로 추정 -흑청색 경질(한쪽 저부에 다른 토기 접촉흔) -동체부 구형, 원저 -동체부 격자문 타날 후 대부분 문질러 지워짐.	높이24.4, 구경7.2, 두께1.1	3-6
3	대호2	-암회청색 경질(소성 시 선상자국, 동체 중부 눌리게 소성) -동체부 집선문(+횡침선) 타날 후 상부의 문양은 문질러 지워짐(1점 추정).		3-7

7) 분구와 주구(도면 4-상좌, 도면 1-1,4~6)

출토 위치	유물명	특징	크기(cm)	도면번호
분구 상면	토기대각편	-흑청색 경질(대각 하부 외면 재혼) -대각은 낮은 편이며, 2줄의 돌선을 돌린 후 그 사이에 수조의 파상문 2줄 시문, 삼각형 투창 4개 뚫림. -발부와 대각부 접합을 위한 도구로 낸 홈집 확인	잔존높이9.3, 대각상경13.7	4-1
주구 남동쪽 트렌치	분주토기	-원통형부 절반정도 잔존, 형상하니와의 원통형부로 추정 -황갈색 연질 -단면 삼각형의 돌대가 1줄 확인되어 2단 또는 그 이상으로 추정. 각 단에 작은 원공 1개씩 확인	잔존높이16.9	4-2
주구 동쪽 트렌치1	형상분주토기	-다리가 4개 달린 육상동물 추정 -몸통 뒷부분과 다리, 양쪽 귀 결실 -적황색 연질 -정면을 바라보는 모습 표현 -동체부 격자문 타날	잔존길이50	4-3

---

4) 3호 옹관묘에서는 옹관 바깥에 대호 2점이 나란히 놓여 있었는데, 대호들은 동체부 절반정도만 남아 있으며 구연부편은 따로 출토되었다.

주구 동쪽 트렌치2	형상분주토기	-다리가 4개 달린 육상동물 추정 -다리 3개, 양쪽 귀, 꼬리 결실 -황갈색 연질 -고개를 옆으로 돌려 측면을 바라보는 모습 표현 -동체부 격자문 타날	길이40(대략)	4-4
주구 동쪽 트렌치2	연질고배	-적황색 연질 -대각 八자로 벌어져 내려가다 하부에서 더 넓게 벌어짐.	높이12.5	4-5
주구 동쪽 트렌치2	경질고배	-회청색 경질 -무개식, 대각 무투창	높이10.3, 구경13.6	4-6

상좌:1호 석실묘 조사 후 전경, 상우:1호 석실묘 내 토기 출토상황
1.완, 2.완, 3.배, 4.개, 5.장경소호, 6.유공광구소호, 7.광구장경호, 8.직구호, 9.직구호, 10.단경호, 11.단경호,
12.단경호, 13.중국 청자잔

〈도면 2〉 영암 내동리 쌍무덤 1호분 1호 석실묘 토기 출토상황과 출토 토기

2호 석실묘: 1.토기 동채부편, 2.토기 대각편
1호 옹관묘: 3.개배개, 4.소형토기
3호 옹관묘: 5.개배개, 6.병, 7.토기 구연부편
1호 석곽묘: 8.단경소호, 9.장경소호, 10.심발형토기 ,11.심발형토기, 12.직구호, 13.단경호, 14.자라병
중:2호 석곽묘 유물 출토상황
2호 석곽묘: 15.개배개, 16.개배배, 17.개배개, 18.개, 19.장경소호, 20.장경소호, 21.유공광구소호,
            22.유공광구소호, 23.직구호, 24.단경호, 25.단경호 구연부편, 26.기대 대각편, 27.기대 대각편

〈도면 3〉 영암 내동리 쌍무덤 1호분 2호 석실묘, 1·3호 옹관묘, 2호 석곽묘 유물 출토상황,
1·2호 석곽묘 출토 토기

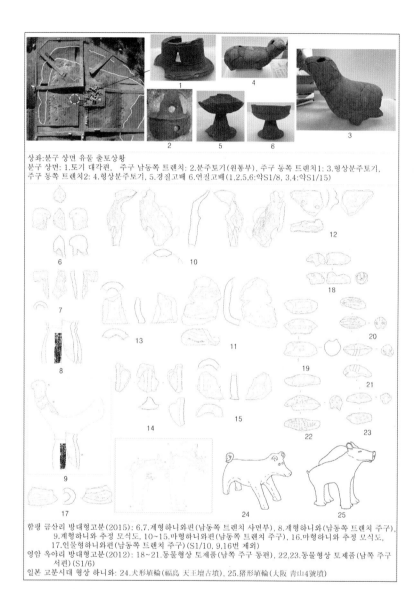

상좌:분구 상면 유물 출토상황
분구 상면: 1.토기 대각편, 주구 남동쪽 트랜치: 2.분주토기(원통부), 주구 동쪽 트랜치1: 3.형상분주토기,
주구 동쪽 트랜치2: 4.형상분주토기, 5.경질고배 6.연질고배(1,2,5,6:약S1/8, 3,4:약S1/15)

함평 금산리 방대형고분(2015): 6,7.계형하니와편(남동쪽 트랜치 사면부), 8.계형하니와(남동쪽 트랜치 주구),
9.계형하니와 추정 모식도, 10~15.마형하니와편(남동쪽 트랜치 주구), 16.마형하니와 추정 모식도,
17.인물형하니와편(남동쪽 트랜치 주구)(S1/10, 9,16번 제외)
영암 옥야리 방대형고분(2012): 18~21.동물형상 토제품(남쪽 주구 동편), 22,23.동물형상 토제품(남쪽 주구
서편)(S1/6)
일본 고분시대 형상 하니와: 24.犬形埴輪(福島 天王壇古墳), 25.猪形埴輪(大阪 靑山4號墳)

〈도면 4〉 영암 내동리 쌍무덤 1호분 분구와 주구 출토 토기와 비교자료

Ⅲ. 내동리 쌍무덤 1호분 출토 토기의 시기와 성격

1. 토기의 단계와 시기

내동리 쌍무덤 1호분과 여러 매장시설, 주구 등에서 출토된 토기의 시기는 유구 중복관계와 위치, 토기의 기종 구성과 형식 등을 고려하여 크게 3단계로 파악해볼 수 있다. 먼저 유구의 중복관계로 보아 1호 석실묘는 다른 매장시설들보다 하층에서 확인되어 가장 이른 시기의 유구로 보고 있다(전남문화재연구소 2020). 그리고 1호 석실묘와 중복되어 있는 1호와 2호 석곽묘, 그 옆에 위치한 2호 석실묘는 매장시설 중 상층에 해당하여 다음 2단계로 볼 수 있다. 마지막 3단계로 구분한 유구는 1호 석실묘 입구쪽에 조영된 1호 옹관묘와 약간 떨어진 곳에 위치한 3호 옹관묘로, 출토된 토기로 보아 2단계보다 더 늦은 시기로 추정된다.

1) 1단계

1단계 매장시설인 하층의 1호 석실묘 내에서는 외반과 직립 구연의 낮은 경질 완, 정형적이지 않는 개배, 장경소호, 유공광구소호, 광구장경호, 직구호, 대형의 직구호와 단경호 3점, 중국청자 등이 출토되었다.

그 중 경질의 낮은 완(도면 2-1 · 2)은 5세기경부터 영산강유역에 나타나 5세기 전 · 중엽에 성행하다가 개배가 정형화되면서 사라지는 기종이며, 특히, 외반구연의 완은 영암이나 나주 지역에서 더욱 성행한다(서현주 2010). 개배(도면 2-3)도 개와 배가 세트를 이루지 못한 것이어서 대체로 이른 형식으로 볼 수 있다. 이러한 경질의 낮은 완과 정형화되지 못한 개배 등의 토기는 영암 만수리 2호분 옹관묘에서 출토된 것들(도면 5-3 ·

4)과 비슷하다. 비슷한 형태의 완은 영암 수산리 조감 옹관묘(도면 5-2)에서도 출토되었다. 유공광구소호(도면 2-6)는 말각평저이며 동체부에 비해 구경부가 작은 편이어서 영암 옥야리 방대형고분의 남쪽 주구 서편, 무안 덕암 2호분 1호 옹관묘 출토품(도면 5-11·12)과 비슷하다. 장경소호(도면 2-5)는 경부나 동체부에 돌선이나 파상문이 전혀 없는 것으로, 영암 내동리 3호분과 5호분 옹관묘 출토품(도면 5-9·10)과 비슷하다. 광구장경호(도면 2-7)도 경부에 돌선이 여러 줄 보이는 것이 영암 만수리 2호분 옹관묘에서 출토된 바 있다(도면 5-13).

1호 석실묘 출토 직구호(도면 2-8)처럼 동최대경에 비해 구경이 넓고 구연부가 약간 외반되는 분위기를 보이는 것은 영암 내동리 5호분 옹관

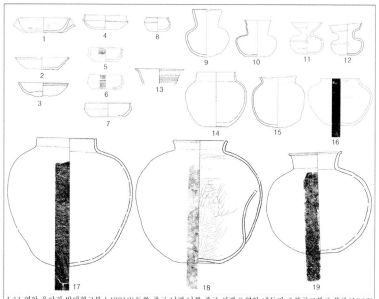

1.11.영암 옥야리 방대형고분 I (2012)동쪽 주구 남편,남쪽 주구 서편,2.영암 내동리 초분골고분군 부록(1986) 영암 수산리 조감 옹관묘, 3,4,13.영암 만수리 1,2호분(1984) 2호분 옹관묘, 5,6,광주 양과동 행림유적 I (2013) 6호 수혈, 7.나주 신도리 도민동1·신평2 유적(2014) 도민동2C-5호 토기가마, 8,14,17,19.영암 신연리 9호분(1993)7호 목관묘,4호 목관묘,3호 옹관묘,5호 목관묘, 9,10,15.영암 내동리 옹관묘(1974) 3호분,5호분(2점), 12,16.무안 덕암고분군(2012)2호분 1호옹관,1호분 3호옹관, 18.나주 동수동유적(2016) 삼국시대 벽주건물지

〈도면 5〉 영암 내동리 쌍무덤 1호분 출토 토기와 비교자료 1

묘에서 출토되었다(도면 5-15). 그런 점에서 이 토기들은 영암 신연리 9호분 4호 목관묘(도면 5-14)나 무안 덕암리 1호분 3호 옹관묘(도면 5-16) 출토품보다 재지화된 것으로 추정된다. 1호 석실묘 출토품처럼 타날문이 있는 대형의 직구호(도면 2-9)는 영암 신연리 9호분 3호 옹관묘(도면 5-17)나 나주 동수동 삼국시대 벽주건물지(도면 5-18) 등에서도 출토된 바 있으며, 편구형의 분위기가 남은 단경호들(도면 2-10 · 11)도 신연리 9호분 5호 목관묘 등에서 출토되었다(도면 5-19). 이 토기들은 격자문이나 조족수직집선문이 타날된 공통점도 보인다.

이로 보아 1호 석실묘 출토 토기들은 영암 만수리 2호분과 신연리 9호분의 늦은 시기 무덤들과 통한다. 그리고 옥야리 방대형고분 토기와 비교하면, 낮은 완은 옥야리 방대형고분의 동쪽 주구 출토품(도면 5-1)보다 말각평저화가 진행되고, 유공광구소호는 남쪽 주구 출토품(도면 5-11)과 비교하여 구경부가 약간 더 길어진 것이어서 더 늦을 것으로 추정된다. 약간 떨어진 곳에 위치한 나주 도민동유적 2C지구의 5호 토기가마에서는 직립과 외반 구연의 낮은 완, 정형적이지 않은 개배(도면 5-7)와 함께 스에키(須惠器)계 개배들이 출토되어 쌍무덤 1호 석실묘와 토기 구성이 비슷한데, 이 가마의 시기는 스에키계 개배 등으로 보아 5세기 중 · 후엽으로 볼 수 있다.

그리고 내동리 쌍무덤 1호분 주구에서 출토된 동물형의 형상분주토기는 다른 고분들처럼 고분의 초축과 관련될 것이다. 형상분주토기(도면 4-3 · 4)는 주구에서 간격을 두고 출토되었는데 네 개의 다리가 달리고 귀가 떨어져 나간 흔적이 확인되어 개(또는 멧돼지?)일 가능성이 있으며(도면 4-24 · 25)[5], 원통형부(도면 4-2)는 새 등의 다른 동물이 올려진 부분

---

5) 네 개의 다리가 달린 육상동물 중 몸통에 비해 다리가 짧은 편이고, 머리도 작으며 목도 짧아 말, 소, 사슴으로 보기 어렵다고 판단된다.

일 가능성이 있다. 옥야리 방대형고분은 고분의 초축과 관련되는 분주토기도 호형분주토기여서 차이가 나며, 가장 이른 매장시설인 횡구식석곽(실)묘에서는 須惠器 TK73호요 단계의 유공광구소호가 출토되고, 매장시설도 전형적인 횡혈식으로 보기 어렵다는 차이가 있다. 옥야리 방대형고분은 고분의 초축 시기를 5세기 중엽의 이른 시기로 본 바 있는데(徐賢珠 2018), 이와 비교해본다면 내동리 쌍무덤 1호분에서 1호 석실묘와 함께 고분이 초축되는 1단계는 약간 늦은 5세기 후엽으로 추정된다.

2) 2 · 3단계

내동리 쌍무덤 1호분의 매장시설 중 상층에 해당하는 1호와 2호 석곽묘, 2호 석실묘는 2단계로 볼 수 있다. 이 유구들에서 출토된 토기는 개배, 단경소호, 장경소호, 유공광구소호, 직구호, 단경호, 심발형토기, 기대, 자라병, 대부토기 등이어서 비교적 다양한 편이다. 개배는 개와 배가 세트를 이루는 정형적인 것들이 출토되는데, 2호 석곽묘 출토품 중 나주 덕산리고분군 등에서 많이 보이는 드림부가 긴 소위 덕산리식(徐賢珠 2006)이 포함되어 있다(도면 3-15). 그리고 2호 석곽묘 출토품 중 배의 신부에 회전깎기 기법이 있는 것도 있다(도면 3-17). 1호 석곽묘에서는 소형 토기 중 동체부가 상당히 낮은 단경소호도 출토되었다(도면 3-8). 이와 비슷한 토기는 나주 신촌리 9호분 분구 성토층에서도 출토된 바 있다(도면 6-1). 이는 영암 신연리 7호 목관묘 출토품(도면 5-8)처럼 좁고 높은 단경소호보다 형식적으로 늦은 것으로 볼 수 있다. 2호 석곽묘 출토 장경소호(도면 3-19 · 20)는 경부나 동체부에 돌선이 들어가거나 동체부에 비해 경부가 크게 벌어져 발달한 것이다. 1호 석곽묘 출토 장경소호(도면 3-9)도 경부가 크게 벌어져 상당히 발달한 것이다. 타날문(격자문)의 단경호(도면 3-24)는 구형화가 뚜렷해지며 구경부에 비해 동체부가 작아지고 구경부는 1단계의 단경호처럼 긴 편이다. 이러한 단경호로는 나주 덕

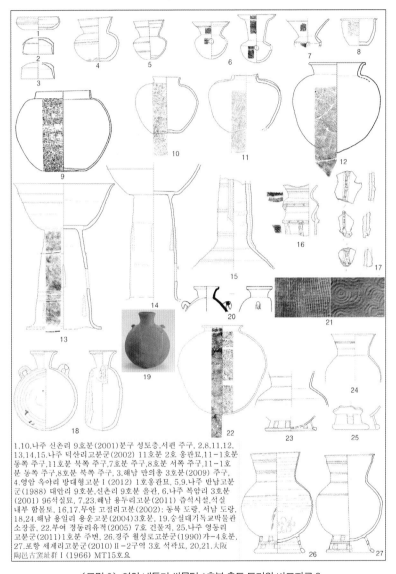

1,10.나주 신촌리 9호분(2001)분구 성토층,서편 주구, 2,8,11,12,13,14,15.나주 덕산리고분군(2002) 11호분 2호 옹관묘,11-1분분 동쪽 주구,11호분 북쪽 주구,7호분 주구,8호분 서쪽 주구,11-1호분 동쪽 주구,8호분 북쪽 주구, 3.해남 만의총 3호분(2009) 주구, 4.영암 옥야리 방대형고분 I (2012) 1호옹관묘, 5,9.나주 반남고분군(1988) 대안리 9호분,신촌리 9호분 을관, 6.나주 복암리 3호분(2001) 96석실묘, 7,23.해남 용두리고분(2011) 즙석시설,석실 내부 함몰토, 16,17.무안 고절리고분(2002): 동북 도랑, 서남 도랑, 18,24.해남 용일리 용운고분(2004)3호분, 19.숭실대기독교박물관 소장품, 22.부여 정동리유적(2005) 7호 건물지, 25.나주 영동리 고분군(2011)1호분 주변, 26.경주 월성로고분군(1990) 가-4호분, 27.포항 세계리고분군(2010) II -2구역 3호 석곽묘, 20,21.大阪 陶邑窯址群 I (1966) MT15호요

〈도면 6〉 영암 내동리 쌍무덤 1호분 출토 토기와 비교자료 2

산리 7호분 주구 출토품(도면 6-12) 등이 있다. 2호 석곽묘 출토 직구호(도면 3-23)는 동체부가 구형이지만 둥근 어깨가 형성되었고 타날문도 남아 있으며 구경은 좁은 편이다. 이와 비슷한 토기는 나주 신촌리 9호분 서편 주구(도면 6-10), 덕산리 11호분 북쪽 주구(도면 6-11) 등에서 출토되었고, 신촌리 9호분 을관 출토품(도면 6-9)도 비슷한 특징이 있다. 그리고 2호 석곽묘 출토 발형기대의 대각(도면 3-26)은 명회색의 색조나 좁은 대각, 횡침선 등으로 구획된 모습이 나주 덕산리 8호분 서쪽 주구(도면 6-13), 11-1호분 동쪽 주구(도면 6-14)에서 출토된 것과 비슷하다. 2호 석곽묘에서 출토된 통형기대 대각편(도면 3-27)과 비슷하게 종방형 돌대 내 원형장식이 있는 것은 무안 고절리고분 주구에서 출토된 바 있으며(도면 6-16 · 17), 공주 정지산유적 1호 석실 포함층에서도 출토된 바 있다. 덕산리 8호분 북쪽 주구에서는 종방향 돌대가 달린 통형기대(도면 6-15)도 출토되었다.

2호 석곽묘 출토 유공광구소호 2점(도면 3-21 · 22)은 원저이며 구순에 홈이 형성되거나 경부에 수조의 파상문이 시문되어 있어서 스에키(須惠器)계 토기로 추정된다. 전형적인 스에무라(陶邑)요지군 출토품과는 차이가 있지만 유공광구소호는 구경부가 크게 벌어진 점에서 陶邑MT15호요 단계에 해당하는 형식으로 추정된다. 이와 비슷한 유물이 해남 용두리고분 동북 도랑에서 출토되었고(도면 6-7), 陶邑 TK47호와 MT15호요 단계에 해당하는 유공광구소호는 나주 복암리 3호분 96석실묘에서도 출토된 바 있다(도면 6-6). 1호 석곽묘 출토 자라병(도면 3-14)도 기종이나 동체부 정면기법 등으로 보아 스에키(須惠器)계 토기로 볼 수 있다. 좁은 경부, 작고 구부러진 우각형의 귀로 보아 陶邑MT15호요 단계의 토기(도면 6-20)로 추정된다. 영산강유역에서 자라병은 여러 개체가 출토되었는데, 대부분 고리형의 귀가 달린 것이고 우각형의 귀가 달린 것은 숭실대학교 기독교박물관 소장품(도면 6-19)과 최근 발굴조사된 함평 금산리 방대형고분 출토품이 있다. 陶邑MT15호요 단계의 고리형 귀가 달린 스에키(須惠器)계 자라병은 해남 용일리 용운 3호분에서 출토된 바 있다(도면 6-18). 2호 석실묘 출토 내·외면에 특이한 타날문(동심원문)이나 정면기법(목판조정흔)이 보이는 토기 동체부편(도면 3-1)도 스에키(須惠器)계 호나 옹으로 볼 수 있는 것이다. 이러한 문양의 호나 옹은 陶邑TK47호요나 陶邑MT15호요(도면 6-21)에서부터 확인된다(田辺昭三 1966)[6].

2호 석실묘 출토 대각편(도면 3-2) 중 추정 투창이나 대각단의 형태로 보아 신라의 대부장경호일 가능성이 있는 토기도 보인다. 대각은 2단으로 추정되고 대각단의 형태로 보아 경주 월성로고분군 가-4호분(도면 6-26), 포항 세계리고분군 Ⅱ-3호 석곽묘(도면 6-27), 경주 서봉총 출토품과도 비슷하다. 이와 비슷한 형식의 대부장경호가 해남 용두리고분 석실 내부 함몰토에서 출토된 바 있으며(도면 6-23), 해남 용일리 용운 3호분(도면 6-24), 나주 영동리 1호분 주변(도면 6-25)에서 출토되었다(이정호 2010). 이러한 형식의 신라 대부장경호는 부가구연이 보이기 직전에 해당하는 것으로, 그 시기는 5세기말로 올려 보거나(남익희 2014), 520~30년대로 보기도 한다(홍보식 2021).

따라서 내동리 쌍무덤 1호분에서 상층의 석축 매장시설들이 조영되는 2단계는 전형적인 개배, 대각이 길어진 발형기대, 통형기대나 자라병 등의 존재로 보아 6세기 전후부터 전엽까지로 추정된다. 주구의 동쪽 트렌치2 출토품 중 함께 보이는 연질고배(도면 4-5)나 경질고배(도면 4-6)도 대각의 모습으로 보아 각각 나주 덕산리 8호분 북쪽 주구(도면 7-7), 대안리 9호분 을관(도면 7-8) 출토품과 비슷하여 고분의 초축 단계보다는 2

---

6) 백제 사비기에 해당하는 부여 정동리 7호 건물지에서도 더 늦은 시기의 자료이지만 스에키(須惠器)계 옹이 출토되었다(도면 6-22).

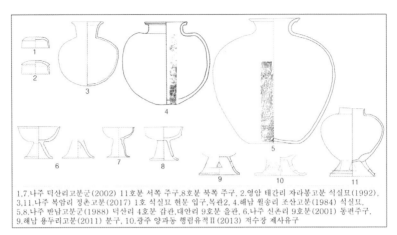

1,7.나주 덕산리고분군(2002) 11호분 서쪽 주구,8호분 북쪽 주구, 2.영암 태간리 자라봉고분 석실묘(1992),
3,11.나주 복암리 정촌고분(2017) 1호 석실묘 현문 입구,목관2, 4.해남 월송리 조산고분(1984) 석실묘,
5,8.나주 반남고분군(1988) 덕산리 4호분 갑관,대안리 9호분 을관, 6.나주 신촌리 9호분(2001) 동편주구,
9.해남 용두리고분(2011) 분구, 10.광주 양과동 행림유적Ⅱ(2013) 저수장 제사유구

〈도면 7〉 영암 내동리 쌍무덤 1호분 출토 토기와 비교자료 3

단계의 유물로 추정된다. 연질고배는 나주 신촌리 9호분 동편주구 출토
품(도면 7-6)과 비교하면 신부에 비해 대각이 더 길어진 것이다. 분구 상
면 출토 경질의 대각편(도면 4-1)도 낮은 편이어서 호의 대각일 가능성
이 있다. 이와같이 낮은 대각과 삼각형 투창이 뚫린 대각 토기는 해남 용
두리고분 분구(도면 7-9), 광주 양과동 행림유적Ⅱ 저수장 제사유구(도
면 7-10) 등에서 출토되었다. 대각의 모습에서 약간 차이가 있지만 비슷
한 대부장경호로는 나주 복암리 정촌고분 1호 석실묘 목관2 출토품(도면
7-11)이 있다. 따라서 이 대각편도 고분의 초축 단계보다는 2단계 유물로
추정된다.

　그리고 3단계는 1호 석실묘 입구쪽에 조영된 1호 옹관묘와 3호 옹관묘
등을 설정할 수 있다. 앞 단계에 비해 토기가 많지 않으며, 개배, 단경호,
병 등이 확인된다. 3호 옹관묘 출토 개배(도면 3-5)는 소위 덕산리식이지
만 직경이 9.7㎝여서 2호 석곽묘 출토 개배(도면 3-15)보다 작아진 것이
다. 이와 비슷한 형식과 크기의 개배는 나주 덕산리 11호분 서쪽 주구(도

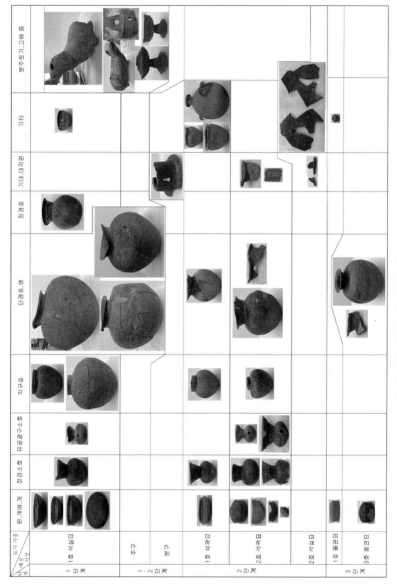

〈도면 8〉 영암 내동리 쌍무덤 1호분 출토 토기의 단계별 양상

면 7-1), 영암 태간리 자라봉고분 석실묘(도면 7-2) 등에서 출토되었다. 3
호 옹관묘 출토 단경호 중 상당히 큰 대호들은 동체부의 타날문양이 수
직집선문이다. 그리고 경부가 상당히 좁아 병으로 볼 수 있는 토기(도면
3-6)는 타날문이 잔존하는데, 원저와 구형의 동체부로 보아 나주 복암리
정촌고분 1호 석실묘 현문 입구 출토 병(도면 7-3)과 비슷하다[7]. 이로 보
아 3단계는 옹관묘라는 매장시설의 한계도 있지만, 토기의 종류가 다소
줄어들고 개배가 소형화되며 단경호와 함께 병이 나타나는 단계여서 6세
기 중엽의 이른 시기까지 내려갈 가능성이 있다(도면 8).

2. 토기와 고분의 성격

앞서 살펴본 단계별 토기 양상을 중심으로 내동리 쌍무덤 1호분의 위
상과 성격을 파악해보고자 한다. 내동리 쌍무덤 1호분에서 출토된 토기
는 다양한 계통이 확인되며 단계별 양상에서 차이가 있다. 먼저 1호 석실
묘를 중심으로 고분이 초축된 1단계에는 낮은 경질 완, 장경소호, 유공광
구소호, 격자문이나 조족수직집선문 등이 타날된 단경호 등으로 보아 기
종이나 형태에서 주변의 내동리와 만수리, 옥야리(장동), 신연리 고분군
출토 토기와 비슷한 것들이 주류를 이룬다. 여기에 직구호(동체부 타날문
포함), 중국 청자 등 직·간접적인 백제 관련 유물, 그리고 왜계의 형상분
주토기가 보인다. 이 단계의 토기 양상은 시종지역의 재지계 토기가 바탕
이 되면서 백제와 왜계 요소가 추가된 양상이라고 할 수 있다. 1호분은 토
기와 마찬가지로 방대분(단제형)의 고분 분형, 목주를 세운 횡혈식석실

---

7) 이외에도 동체부에 타날문양이 있지만 경부가 좁은 편이어서 병으로 볼 수 있는 토기들
이 해남 월송리 조산고분 석실묘(도면 7-4), 나주 덕산리 4호분 갑관(옹관묘)(도면 7-5) 등
에서 출토되기도 하였다.

묘의 매장시설에서도 옥야리 방대형고분 등의 요소를 바탕으로 새로운 변화가 나타난다. 새롭게 변화된 요소에서 대표적인 것은 중국 청자 등 백제 관련 유물이며, 전형적이지 않지만 횡혈식석실묘라는 구조의 매장시설과 형상분주토기이다. 이 단계에 나주 복암리 정촌고분 1호 석실묘 등으로 보아 횡혈식석실묘(왜계)라는 매장시설이 영산강유역에 나타나는데(吳東璋 2016), 내동리 쌍무덤 1호분의 1호 석실묘는 이를 수용한 것으로 볼 수 있으며, 특히, 백제 관련 유물은 이 지역세력이 옥야리 방대형고분으로 대표되는 앞 단계보다 백제와 적극적인 관계를 맺은 결과로 볼 수 있겠다.

내동리 쌍무덤 1호분의 형상분주토기도 내동리지역의 특징을 잘 보여주는데 인근의 옥야리 방대형고분과 차이가 난다. 현재까지 한반도에서 형상분주토기가 출토된 사례는 많지 않은데, 함평 금산리 방대분과 영암 옥야리 방대형고분을 들 수 있다. 금산리 방대분에서는 주구의 일부 지점에서 형상분주토기(하니와계 埴輪)들이 출토되었다. 분주토기의 종류는 계형, 마형(마구 장착), 인물형 등이며 제작기법도 왜의 하니와와 상당히 비슷하다(도면 4-6~17)(전남문화재연구소 2015). 옥야리 방대형고분 주구에서도 소형의 형상 동물형 토제품이 8점 정도 출토되었다(도면 4-18~23). 이는 족제비과나 물범, 다람쥐, 물고기 등 다양한 종류로, 토제품의 내면에 부착흔적이 확인되어 고분에서 많이 출토된 대형화된 호형분주토기에 부착되었던 것으로 추정되었다(국립나주문화재연구소 2012). 이로 보아 내동리 쌍무덤 1호분의 형상분주토기는 호형의 분주토기를 사용한 옥야리 방대형고분과는 차이가 나며, 나주 신촌리 9호분 방대분이나 주변에서 더 늦게 나타나는 영암 태간리 자라봉고분 등 영산강유역에서 5세기 후엽부터 주류를 이루는 원통형이나 호통형 등의 통형분주토기(徐賢珠 2018)와도 차별된다. 금산리 방대분과는 형상분주토기라는 점에서 통하지만, 격자문이 타날되거나 개[8] 등의 동물 종류나 형태에서 차이가 나기도 하여 형상하니와를 수용하여 재지화하여 사용한 것으로 볼 수 있겠다. 즉, 이 단계의 시종지역은 영산강유역의 다른 지역과 달리 통형분주토기가 아닌 재지화된 형상분주토기를 사용하는 점도 특징이라 할 수 있다.

내동리 쌍무덤 1호분에 추가로 상층의 무덤들이 조영되는 2단계에는 개배와 단경소호, 장경소호, 타날문 단경호 등의 재지계 토기도 변화하면서 이어진다. 재지계 토기는 드림부가 상당히 긴 소위 덕산리식 개배와 낮아진 단경소호, 정형화된 장경소호, 더 구형화된 단경호, 색조나 단순한 문양의 소위 덕산리식의 발형기대(徐賢珠 2006), 타날문의 직구호 등이 나타난다. 새롭게 종방향 돌대가 붙여진 통형기대도 추가되는데 이는 백제 기종이라 할 수 있다. 외래계 토기도 더 늘어나고 있는데 왜계 토기인 스에키(須惠器)계 유공광구소호, 자라병, 호나 옹 등이나 대부장경호(추정) 등 신라계 토기가 보인다. 이 단계가 되면 영산강유역은 백제의 기종 등 토기 기종도 늘어나며 세부 지역별로 재지계 토기의 양상도 명확해지는데, 재지계 토기는 1단계와 달리 시종지역에만 한정되기보다는 덕산리나 신촌리 고분군 등 반남지역까지 넓게 분포하는 것들이 확인된다. 외래계 토기 또한 이 지역만의 양상으로 말하는 어렵다. 다른 지역들에서도 왜계 토기가 많아지고, 신라계 토기는 나주 복암리 3호분 96석실묘의 마구와 함께 나주 영동리고분군, 해남 용두리나 용일리 용운고분군 등에서도 비슷한 시기의 토기 자료들이 출토되기 때문이다. 즉, 외래계 토기 양상은 영산강유역의 나주 다시, 해남 지역의 양상과 비슷하다고 볼 수 있다.

따라서 이 단계에는 재지계 토기가 발전하고, 백제 토기나 외래계 토기

---

8) 고대 영산강유역에서 개는 나주 복암리 2호분 주구에서 소, 말과 함께 확인되어 고분 제사 과정에서 희생이 있었던 동물로 추정된다.

의 영향이나 유입도 확인된다. 재지계 토기나 외래계 토기로 보아 1단계에 비해 영산강유역 내에서도 교류의 범위가 넓어졌음을 알 수 있다. 다만 백제 토기는 삼족배나 유개고배 등이 보이는 것은 아니어서 다른 영산강유역과 마찬가지로 재지계 토기를 바탕으로 한 백제화라고 볼 수 있다. 매장시설은 석실묘도 있지만 석곽묘가 나타나고, 나주 신촌리 9호분 을관의 금동관과 비슷한 형식의 금동관도 이 단계의 유물로 보고 있어서(전남문화재연구소 2020), 백제와의 관계는 1단계보다 더욱 진전된 것으로 볼 수 있다. 내동리 쌍무덤 1호분은 나주 신촌리 9호분과는 비슷한 금동관의 존재, 방대분(단제형 포함)의 분구, 매장시설의 중층 구조 등에서 공통점을 가지며, 금동관이 하층의 매장시설이 아닌 상층의 매장시설에서 출토되는 점도 공통된다. 그런데 신촌리 9호분은 중층을 이루는 상·하층의 매장시설이 모두 대형옹관묘라는 점에서 차이가 난다. 이는 시종지역이 옥야리 방대형고분과 같이 석축 매장시설이 일찍부터 수용되었던 점에서 나타난 차이이고, 이후에도 반남지역과 달리 영암 태간리 자라봉과 같은 장고분과 석실묘가 수용되고 있다. 즉, 2단계에는 토기뿐 아니라 금속유물, 분구나 매장시설 등에서 이 지역세력의 성장이 두드러지는데, 이는 백제와의 관계 변화와도 관련된다. 이로 인해 그 과정에서 영산강유역의 다른 지역세력들과 차별화된 모습도 나타난다.

3단계에는 재지계의 개배가 이어지지만 소형화되고, 병이라는 기종이 추가되며 호의 타날문양도 수직집선문으로 나타난다. 즉, 토기에서 재지계 요소는 종류나 문양 등에서 단조로워지고, 백제 토기는 늘어나는 양상이다. 다만, 병은 원저이고 동체부가 구형이어서 전형적인 백제의 병과는 차이가 난다. 이 단계는 매장시설이 옹관묘라는 점에서도 재지계 성향이 남아 있다고 볼 수 있는데, 토기나 고분의 내용이나 수량 등에서 1호분이라는 고분의 쇠퇴 양상을 보여주는 것으로 이해된다.

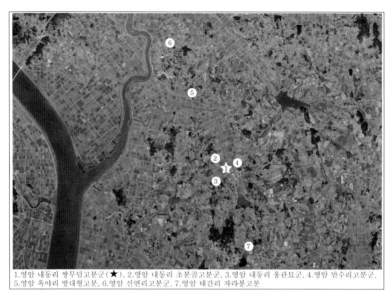

1.영암 내동리 쌍무덤고분군(★), 2.영암 내동리 초분골고분군, 3.영암 내동리 옹관묘군, 4.영암 만수리고분군, 5.영암 옥야리 방대형고분, 6.영암 신연리고분군, 7.영암 태간리 자라봉고분

〈도면 9〉 영암 내동리 쌍무덤고분군과 주변 고분의 분포
(네이버 위성지도 이용)

이번에 조사된 내동리 쌍무덤 1호분 외에도 최근 옥야리 방대형고분, 태간리 자라봉고분 등에서 대형 고분들의 조사가 이루어져 고대 시종지역의 위상과 성격은 명확해지고 있다(도면 9). 일단 내동리 쌍무덤 1호분은 고분의 규모뿐 아니라 부장된 금동관으로 보아 반남세력에 버금가는 지역세력의 상정이 가능해졌다. 5세기 이후 내동리뿐 아니라 신연리, 옥야리 일대의 지역세력은 토기나 매장시설(김낙중 2013)로 보아 가야계나 왜계, 백제계 요소들을 적극 수용하였는데 이는 5세기 중엽 옥야리세력에 의해 조영된 옥야리 방대형고분의 조영으로 잘 드러난다. 5세기 후엽이 되면 이러한 토기문화를 바탕으로 내동리세력이 석실묘와 형상분주토기가 중심이 되는 내동리 쌍무덤 1호분을 조영하면서 이 일대의 중심 세력이 되고 있다. 이는 금동관의 부장이 이루어지는 6세기초나 전엽까지

도 이어지는데 토기로 보아 영산강유역의 여러 지역세력들과 교류가 있었음을 알 수 있다. 특히, 북쪽의 나주 덕산리고분군 등의 반남세력, 남쪽의 해남 용두리나 용일리고분군 등의 해남세력과의 교류가 두드러진다. 그리고 6세기 전엽에는 더 남쪽에 태간리 자라봉고분과 같은 새로운 분형의 고분도 나타난다. 이 시기에 내동리 쌍무덤 1호분에도 무덤의 조영이 이어지지만 태간리세력은 영산강유역의 다른 지역들과 마찬가지로 외래계 분형인 장고분을 수용하여 축조하였다.

내동리 쌍무덤 1호분의 초축 이후 1·2단계 매장시설로 대표되는 내동리세력은 옥야리나 태간리 지역보다 재지계 요소도 강하고 백제계 요소도 늘어나는 점이 주목된다. 이 시기에 나주 복암리나 반남, 해남 등 영산강유역의 다른 지역세력들과 교류도 활발했던 것으로 추정된다. 내동리세력은 나주 반남고분군과도 통하는 점이 많아 재지성향이 강한 세력이라고 할 수 있는데, 석곽묘나 석실묘, 형상분주토기 등에서 나타나는 차이로 보아 차별화된 지역세력의 상정이 가능하다. 결국 내동리 쌍무덤 1호분은 단계별 토기나 매장시설의 양상으로 보아 고분 조영세력의 부상과 발전, 쇠퇴 양상과 함께 1·2단계를 중심으로 내동리세력, 나아가 시종세력의 반남세력에 버금가는 위상과 재지성향이 강한 성격을 잘 보여준다고 할 수 있겠다.

IV. 맺음말

이제까지 영암 내동리 쌍무덤 1호분에서 출토된 토기를 중심으로 1호분의 단계와 시기, 계통과 성격을 파악해보았다. 내동리 쌍무덤 1호분의 유구 중복관계와 위치, 토기의 기종 구성과 형식 등을 고려한 1호분 출토 토기의 단계별 양상은 3단계로 정리할 수 있다.

　내동리 쌍무덤 1호분에서 하층의 1호 석실묘와 함께 고분이 초축되는 1단계는 5세기 후엽으로 추정되며, 상층에 해당하는 1호와 2호 석곽묘, 2호 석실묘 등은 2단계로 대체로 6세기 전후부터 전엽으로 추정된다. 마지막으로 1호 석실묘 입구쪽에 조영된 1호 옹관묘와 3호 옹관묘 등의 3단계는 6세기 중엽의 이른 시기까지 내려갈 가능성이 있다. 1호분은 단계별 토기나 매장시설의 양상으로 보아 고분 조영세력의 부상과 발전, 쇠퇴 양상과 함께 1 · 2단계를 중심으로 내동리세력, 나아가 시종세력의 반남세력에 버금가는 위상과 재지성향이 강한 성격을 잘 보여준다고 할 수 있겠다.

【참고문헌】

국립나주문화재연구소, 2012,『영암 옥야리 방대형고분』.

국립나주문화재연구소, 2014,『영암 옥야리 방대형고분Ⅱ』.

김낙중, 2009,『영산강유역 고분 연구』, 학연문화사.

김낙중, 2012,「5~6세기 남해안 지역 倭系古墳의 특성과 의미」,『湖南考古學報』45.

남익희, 2014,「고신라토기」,『신라고고학개론 下』, 중앙문화재연구원.

朴淳發, 2000,「百濟의 南遷과 榮山江流域 政治體의 再編」,『韓國의 前方後圓墳』, 忠南大學校出版部.

徐賢珠, 2006,『榮山江 流域 古墳 土器 硏究』, 學硏文化社.

서현주, 2008,「영산강유역권 3~5세기 고분 출토유물의 변천 양상」,『湖南考古學報』28.

서현주, 2010,「완형토기로 본 영산강유역과 백제」,『湖南考古學報』34.

徐賢珠, 2018,「墳周土器로 본 古代 榮山江流域」,『湖西考古學』39.

이정호, 2010,「출토유물로 본 영동리고분세력의 대외관계」,『6~7세기 영산강유역과 백제』, 국립문화재연구소·동신대학교문화박물관.

吳東墠, 2016,「5~6세기 榮山江流域圈의 動向과 倭系古墳의 意味」,『百濟學報』20.

전남문화재연구소, 2015,『咸平 金山里 方臺形古墳』.

전남문화재연구소, 2020,「영암 내동리 쌍무덤 정밀 발굴조사 약식보고서」(유인물).

田辺昭三, 1966,『陶邑古窯址群Ⅰ』.

홍보식, 2021,「삼국시대 영산강 중·하류지역의 토기 편년 -개배의 뚜껑을 대상으로-」,『湖南考古學報』67.

영산강유역 마한사회에서 내동리 쌍무덤의 의의

김낙중 (전북대학교)

Ⅰ. 머리말

Ⅱ. 전통적인 영산강유역의 중핵세력

Ⅲ. 교섭의 다각화와 성장

Ⅳ. 맺음말

Ⅰ. 머리말

이 글에서는 영암 내동리 쌍무덤의 지리적인 위치, 입지, 분형, 매장시설, 부장품의 특징을 정리하고 영산강유역권 고분들의 그것들과 비교하여 공통점과 차이점 등을 추출함으로써 영산강유역 마한사회에서 차지하는 의의를 살펴보고자 한다.

Ⅱ. 전통적인 영산강유역의 중핵세력

1. 입지(영산내해와 포구)

내동리 쌍무덤은 영산강 하류의 동안에 펼쳐진 낮은 구릉의 말단에 위치한다. 고분이 위치하는 곳까지 예전에는 바닷물이 들어왔다. 영산강 하류는 간척 이전에는 넓은 바다여서 남해만으로 불렸다. 고 남해만과 지류에는 곳곳에 포구가 형성되어 있었을 것으로 추정되는데 이런 곳에는 취락과 고분군이 형성되어 있다. 내동리 쌍무덤이 위치한 곳도 마찬가지다. 바닷길과 밀접하게 관련된 이러한 입지는 내동리를 중심으로 하는 시종지역 집단의 성장 배경이 되었다.

바닷길은 강을 통해 내륙으로 연결된다. 서남해 해로와 호남 서남부지역을 이어주는 뱃길은 영산강이다. 육상교통이 발달하지 않았던 전근대시기에는 수운이 중·하류지역을 하나의 문화·경제권으로 묶어주는 역할을 하였다. 영산강은 1970년대 종합개발 제1단계 사업으로 건설된 4개 댐과 1980년대 초 제2단계 사업인 하구둑 축조로 크게 변했다. 이러한 대규모 개발 사업 이전의 영산강은 유로의 반 이상까지 조수의 영향이 미쳤으며 영산강 하류(몽탄대교~화원반도 북단 목포구 등대까지 약 40㎞)는 썰물 시 갯벌과 갯고랑이 드러나는 전형적인 서해안 바다로 일명 '남해만' 과 '덕진만'이라 칭해졌던 넓은 만이 내해('영산내해')를 형성하고 있었다 (김경수 2001).

이러한 영산강 뱃길에는 많은 포구가 존재하였다(그림1). 다만 삼국시대 포구는 문헌기록이 남아 있지 않으므로 고분, 산성, 유물산포지 등 고고유적으로 추정한 중심지와 간척 상황, 해발 고도, 지명, 노인들의 증언 등을 통한 뱃길을 고려하여 추정할 수 있겠다(변남주 2012).

영산강 뱃길 중에서 가장 많은 포구는 하류에서 확인되었다. 그 중 삼국시대의 포구는 현재의 삼포강 중·하류에 주로 분포하는 것으로 추정된다. 이곳은 옛 남해만의 갯벌을 관통하는 갯골('삼포만')이었는데, 갯고랑을 타고 올라가는 바다배의 종점은 반남면 신촌리 남산교 부근이다. 이곳 '삼포만'에서 동강포(장동리 고분군), 공산포(용호 고분군), 반남포①(대안리 고분군), 반남포②(신촌리, 덕산리 고분군), 시종포(성틀봉 토성과 내동리·만수리 고분군), 계산포(와우리 고분군), 옥야포(옥야리 고분군, 옥야리 장동 고분)의 존재를 추정할 수 있겠고, 남해만 서안인 무안의 양장포(양장리 유적)의 존재를 추정할 수 있다. 한편 중류에서는 두암포(사창리 고분군 일대), 회진포(복암리 고분군)의 존재를 설정할 수 있겠다.

포구와 관련된 실제 흔적은 아직 확인되지 않았으므로 앞으로 포구 관련 유적의 발굴이 절실하다. 이와 관련하여 나주 월양리 구양 유적(대한문화재연구원 2017)은 주목된다(그림2). 이 유적은 동강포로 추정되는 곳에서 삼포천으로 흘러드는 지류의 상류 쪽으로 얼마 떨어지지 않은 곳에 위치하는 5세기 후반대의 마을 유적이다. 유적에서 작은 골짜기를 건넌 서편 구릉에는 장동리 고분군, 동편으로 이어지는 구릉에는 신양·구양 고분군이 분포하는 점도 포구 세력의 존재 가능성을 높여준다. 유적에

서 직접적인 포구의 흔적은 확인되지 않았지만 주거구역과 고상가옥(창

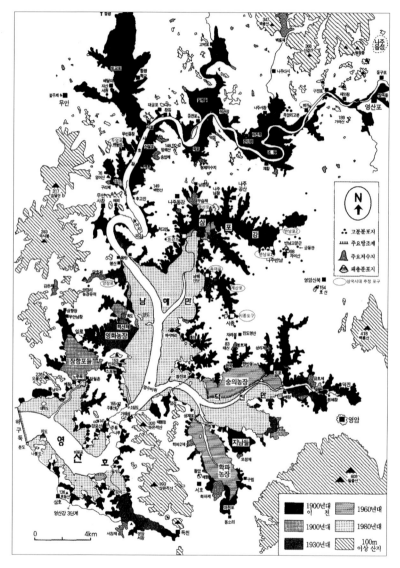

그림 1. 영산강 중하류지역 간석지 개간 과정 및 삼국시대 추정 포구
(김경수 2001에 변남주 2012 견해 추가하여 일부 수정)

고)군이 작은 골짜기를 사이에 두고 나뉘어 분포하며 수레가 지나다닌 길의 흔적도 남아 있다. 선착장과 관련된 것으로 추정되는 잔교(목열5)도 드러났다. 그리고 저습지에 가까워서 다양한 목재 유물도 출토되었다. 이 중에는 부메랑처럼 휘게 다듬은 목재도 발견되었는데 선박재일 가능성이 있다. 한편 백제토기는 물론이고 왜계 유물인 하지키[土師器]와 하니와[埴輪]형 토제품도 출토었다. 이러한 공간 배치와 출토 유물은 이 유적에서 삼포강에 이르는 일대에 왜인 등도 활동한 포구가 존재할 가능성을 높여준다. 전체적으로 김해 관동리 유적과 유사한 양상이다. 내동리 쌍무덤 주변에서도 이러한 취락과 포구 관련 흔적을 찾을 필요가 있다.

한편 영산강유역의 옹관분은 현지세력에 의해 3세기 이후 독특한 묘제로 사용되었는데 주로 해안이나 내륙 물길 주변에 조성되었다. 따라서 이러한 고분을 조성한 취락에는 뱃길을 이용하기 위한 포구가 조성되었을 것으로 추정된다. 특히 전형적인 U자형 전용옹관은 조수의 영향이 미치는 영산강 중·하류 지역의 연안(중핵지역)에만 분포한다. 이것은 뱃길이 동일한 문화권 형성에 지대한 영향을 미쳤음을 시사한다. 뱃길은 전용옹관의 생산과 유통에서도 중요한 조건이었을 것이다. 전용옹관이 발달한 이 지역에서는 5세기 중엽 이후에 급격하게 증가한 외래 문물, 특히 왜계 요소(북부규슈계석실 등)를 다른 지역과 다르게 일부만 주체적으로 수용하였다. 나주 반남 고분군, 무안 사창리 일대 고분군, 나주 복암리 3호분 등은 현지 묘제의 기반 위에 새로운 문물을 받아들인 사례이다. 영암 내동리 쌍무덤 일대도 마찬가지다. 이것은 중·하류의 뱃길에 대한 이지역 토착세력들의 통제력을 보여준다.

이러한 점들로 보아 영암 내동리 쌍무덤을 비롯한 시종 일대는 바닷길과 내륙 수로를 이용하며 옹관분을 대표적인 묘제로 사용한 영산강 중·하류의 중핵세력 중의 하나라고 판단된다.

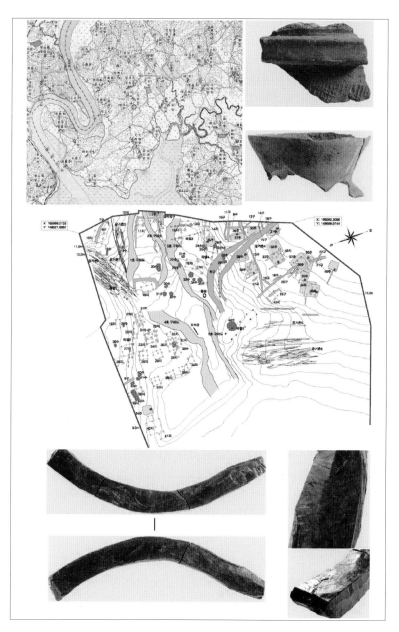

그림 2. 나주 월양리 구양 유적(대한문화재연구원 2017 편집)

2. 분형-제형분의 전통

내동리 쌍무덤 고분군은 현재 3기만 남아 있으나 1986년 목포대학교박물관에서 실시한 지표조사 당시에는 파괴되었지만 1기가 더 있었다. 분형은 정형성을 유지하지 못한 채 원형, 타원형 또는 방형 등 다양한 형태로 추정되었다.

1호분은 정비 이전에는 분형이 찌그러진 제형(사다리꼴) 내지는 장타원형이었다. 2호분은 원형으로 보이지만 방형이었을 가능성도 있다. 1호분의 북동쪽에 연접되어 있다. 너비 35m, 높이 10m로 고총이다. 3호분은 1호분 동쪽에 연접되어 있는데, 분구는 남북으로 약간 긴 편이다. 분형은 원형이나 방대형으로 추정된다. 길이 20m, 너비 12m, 높이 2.5m.

여기서는 발굴조사된 1호분의 분구 축조 기법과 분형을 살펴보고자 한다. 정지면은 원래의 지형이 그대로 유지되었는데 동서, 남북 방향 모두 평탄한 편이다. 정지면이 단면에 드러나도록 주변을 깎아 주구를 돌렸는데 정지면과 주구 바닥의 높이 차이는 3m 정도다. 이렇게 주변을 깎아 분구를 높아 보이게 하는 축조 기법은 인접한 옥야리 장동 1호분에서도 보인다. 멀리는 함평 금산리 방대형고분에서도 확인되었다.

분형은 주구의 평면 형태로 보아 북동-남서 방향으로 장축을 둔 사다리꼴(梯形)로 추정된다(그림3). 방대형으로 볼 수도 있지만 주구 사이의 간격이 남서쪽은 넓고(39m), 북동쪽은 좁아(31m) 사다리꼴의 흔적이 남아 있다. 주구와 정지면이 남아 있지 않은 북동쪽의 지형도 주구의 진행 방향과 일치한다.

이러한 제형분은 5세기 중엽까지 영산강 유역을 대표하는 전통적인 분형이다. 제형분은 전북 서남부지역부터 영산강 유역에 걸쳐 분포한다. 일정한 시기의 특정 집단이 제형이라는 공통의 분형을 채용하였다는 것은

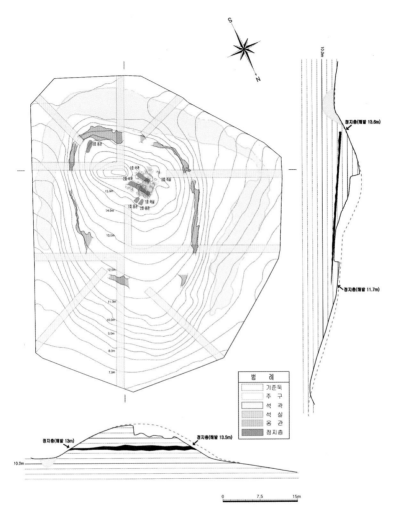

그림 3. 분형과 매장시설 분포도

그러한 집단 사이에 일정한 통합성이 있음을 알리며 또 그것이 정치적인
성격도 포함된 것이라면 이러한 분형을 채택하지 않은 백제 왕권을 중심
으로 한 중서부지역과는 정치적으로 차별화되었음을 뜻하는 것이라고 하

겠다. 이러한 통합의 범위는 제형분의 분포 범위로 보아 고창, 나주 등 영
산강유역권 전역에 이른다(김낙중 2015).

그런데 현재 남아 있는 분구는 방대형에 가까운 모습이다. 분구의 북동
쪽이 평탄면을 이루고 주구가 이어지지 않기 때문이다. 분구가 방대형으로
보이는 이유로 두 가지 가능성을 고려할 수 있다. 첫 번째는 영산강유역 제
형분은 마지막에 방형으로 바뀌는 모습을 보이는데 그러한 변화 경향과 관
련되었을 가능성이다. 두 번째는 나주 복암리 2호분처럼 제형에서 방대형
으로 분형을 조정하는 과정에서 나타난 현상일 가능성이 있다(그림4).

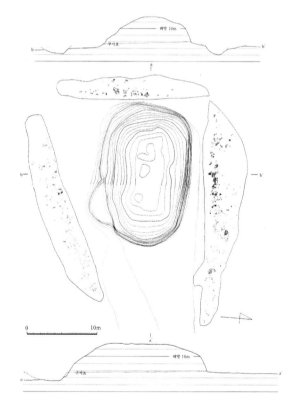

그림 4. 나주 복암리 2호분 평단면도

제형분의 중심 매장시설이 복수화된 단계에는 함평 만가촌 고분군과 같이 분구가 長梯形이 되지만 종국에는 제형에서 벗어나 방형, 원형으로 바뀐다. 영암 신연리 9호분이 대표적인 예이다. 이 고분은 제형의 흔적이 남아 있는 방대형이며, 매장시설로 옹관 4기, 목관 3기가 안치되었는데 서로 병렬적인 배치관계를 보여준다. 옹관은 전용옹관 3형식이다. 부장토기에는 장경호와 동체가 구형화 혹은 장동화된 단경호가 있다. 조성 연대는 만수리 4호분의 늦은 단계와 병행하는 4세기 후엽~5세기 전엽으로 추정된다. 신연리 고분군은 원형과 방형의 분구가 15기 이상 구릉의 능선을 따라 열을 지으며 배치되어 있다.

한편 나주 복암리 2호분은 원래 제형이던 분구가 방대형으로 확대 조정되었는데, 방대형 분구 조성과 관련하여 주구에서 이루어진 제사 등에 사용된 토기가 5세기 후엽~6세기 전반에 유행한 점 등을 고려하면 선행분구인 제형분은 5세기 중엽까지 이어진 것으로 추정된다(林永珍 외 1999).

내동리 쌍무덤이 위의 두 경우 중 어느 것에 해당하는지 밝히려면 주구에 대한 보완조사가 필요하다.

3. 복합다장(複合多葬)과 전용옹관

내동리 쌍무덤에서는 석실 2기, 석곽 2기, 옹관 3기 등 총 7기의 매장시설이 확인되었다. 여러 종류의 매장시설이 복수로 안치되어 있다. 그리고 매장시설은 분구의 축조와 함께 또는 이미 마련된 분구를 되파고 설치되었다. 이러한 복합다장은 영산강 유역 고분의 중요한 특징이다. 매장시설은 상하로 중복되어 있어 분구의 수직적인 확장도 있었던 것으로 추정된다. 이러한 복합다장과 분구의 확장은 영산강유역의 '분구묘' 축조 전통에 잘 부합한다(金洛中 2006).

중심매장시설은 횡구식석실로 추정된다. 그리고 추가로 안치된 옹관은 영산강유역의 독특한 전용 옹관으로 가장 발달한 형태인 3형식이다. 상층에 축조된 석곽은 세장방형으로 이 지역에서 일반적이지 않은 묘제다. 세장한 평면의 석곽은 아라가야, 소가야 등 가야지역 고분군에서 주로 확인되고 있다. 지금까지 전남지역에서 확인된 석곽 중에서는 가장 규모가 크다.

이처럼 내동리 쌍무덤은 현지의 전통이 이어지며 외래 요소가 복합된 양상을 보여준다. 그런데 외래 요소는 현지화된 모습을 보여준다. 그것은 횡구식석실을 통해 알 수 있다. 이에 대해서는 아래에서 좀 더 논의하고자 한다. 다양한 외래 요소의 복합과 현지화도 영산강유역에서 5세기 중엽부터 6세기 전엽까지 보이는 특징이다.

Ⅲ. 교섭의 다각화와 성장

1. 왜 · 가야와의 교류

1) 횡구식석실

내동리 쌍무덤의 중심 매장시설은 1 · 2호 석곽 아래에서 확인된 1호 석실이다. 사다리꼴 분구의 가장 넓고 높은 중심에 위치한다(그림5).

석실은 구릉을 반듯하게 정지한 뒤 점토를 깔고 구축하였다. 석실의 구축 순서를 살펴보면 먼저 판석재를 'ㅁ'자로 열을 맞춰 한 겹 깐 다음 입구를 제외한 양 측벽과 안벽을 따라 그 위에 목주를 일정한 간격으로 세

그림 5. 1호 석실

워 골조를 마련하고 이에 덧대 돌로 벽을 구축하였다. 목주는 양 측벽에
는 단벽과 만나는 모서리를 포함하여 5개, 안벽에는 두 개를 세웠던 흔적
이 남아 있다. 벽석은 주로 얇은 판상석이 사용되었는데, 하단에는 목주
에 넓은 면이 닿도록 판석을 덧댔다. 목제 골조를 제외한 벽면에는 황색
점토가 전면적으로 발려 있다. 천장석은 석실 너비보다 길지 않아 충분히
걸쳐 놓을 수 없다. 실제로 안으로 떨어져 있는 상태로 발견되었다. 천장
석의 이런 특징은 목제 골조와 관련된 것으로 추정된다. 나주 가흥리 신
흥 고분에서도 같은 현상이 확인되었다. 석실의 규모는 장축 320cm, 단
축 220cm, 높이 185cm으로 평면은 장단비 1.45인 장방형이다. 장축은 북
동-남서방향이다.

석실 구축과 함께 분구 성토가 함께 이루어졌다(그림6). 벽을 구축하면

그림 6. 1호 석실 외부(서 트렌치)

서 외면에 황백색 점토를 바르고 이에 덧대 적갈색 사질점토를 밖으로 경사지게 다져 쌓았다(1차). 그런 다음 그 바깥의 바닥에서 불을 이용한 제의가 이루어진 것으로 추정되는데, 이는 서편 트렌치에서 넓게 목탄이 흩어져 있는 것으로 추정할 수 있다. 이어 벽면 상단에 다시 황백색 점토를 두텁게 바르고 적갈색 점질토 위에 성질이 다른 흙을 교대로 성토해 분구를 쌓았다.

석실 남서쪽 단벽 바닥에서 대호, 직구호, 유공광구소호, 완, 광구호 등의 토기류가 출토되었는데 거의 완전한 현지형이다. 부장토기 중 호류는 구연부의 일부를 일부러 찌그러뜨린 것을 사용하였다. 대호에는 조족문이 확인되고 있다. 뚜껑 없는 배는 나주 복암리 3호분 11호 옹관이 파괴한 선행 소토층에서 출토된 것과 같은 기형이다. 11호 옹관은 방대형 분구 조성 직후 성토층을 되파고 만든 것이므로 이 소토층은 방대형 분구 조성 직전이나 직후에 형성된 것으로 추정된다. 시종 일대에서도 유사한 개배가 출토되었는데, 영암 만수리 2호분 4호 옹관 주변, 영암 내동리 80년 수습 옹관에서 출토된 사례가 있다. 내동리 쌍무덤의 시간적인 위치를 가늠할 수 있는 자료의 하나다. 유공광구소호도 구경부가 발달하지 않은 형태로 나주 복암리 3호분 18호 옹관(선행 분구에 포함)과 방대형 분구 성토층에서 출토된 것과 유사하여 '96석실 구축 이전에 유행한 것이다. 무안 덕암 남분 1호 옹관 출토품과도 유사하다. 이외에 석실의 중앙 바닥에서 중국자기인 청자잔 1점이 출토되어 주목된다. 현재까지 가장 남쪽에서 출토된 청자잔이다. 그리고 구연부가 수평에 가깝게 바라지고 경부에 돌대가 2줄 돌아가고 있어 소가야 양식의 수평구연호로 보이는 토기도 있다. 공반하는 광구호(장경소호)도 소가야지역과 그 영향을 받은 전남 동부 해안지역에서 자주 보이는 기종인데 경부에 돌대가 없어 이른 형식으로 추정된다. 이러한 수평구연호와 광구호의 형태는 전형적인 소가야양식은 아니다. 확산 과정에서 변형된 것으로 보이는데, 시기는 목곽에서 석곽으로 전환되는 5세기 중엽 이후로 추정된다.

약식보고서(전라남도문화재단 문화재연구소 2020)에서는 석실의 구조에 대해 언급하지 않았지만 횡구식석실로 추정된다. 그것은 북동 단벽의 가운데 부분을 벽석으로 쌓지 않고 비워 입구로 삼았으나 개석이 있는 연도가 연결되어 있지 않고 양 벽면이 석축되어 있지 않은 묘도만 있기 때문이다(그림5 우하). 묘도 바닥에는 판상할석을 바깥으로 가며 한 단씩 높게 4열 깔고 황백색 점토로 덮은 후 적갈색 사질점토(나머지 벽면 구축과 동시에 쌓은 성토층과 동일한 성분)를 밖으로 경사져 올라가게 쌓았다. 이 면이 묘도 바닥으로 추정된다. 묘도는 묘실 쪽으로 경사져 있으나 그 기울기가 매우 완만하다. 다만 묘도 폐쇄토 위에 옹관 두 기가 추가로 안치되면서 상부가 훼손되어 원래의 묘도 상태를 알기는 어렵다. 다만 분구 높이를 고려할 때 묘도 바닥으로 접근하려면 분구 정상에서 내려오는 수혈계 횡구식석실이었을 가능성이 크다.

내동리 쌍무덤의 횡구식석실과 유사한 사례는 인접한 옥야리(장동 1호분) 뿐만 아니라 영산강 중류역(나주 가흥리 신흥 고분)에서도 확인되었다. 그런데 이러한 횡구식석실은 현지에서 계보를 찾기 어려운 구조로 유사한 석실이 존재한 왜나 가야와 관련되었을 가능성이 있다.

영산강유역권에서 이러한 횡구식석실이 축조되기 이전에 이미 서남해 섬이나 해안에서는 5세기 전·중엽부터 왜계 무덤이 축조되기 시작하였다. 이러한 왜계 고분(그림7)으로는 김해 율하 B-1호분, 마산 대평리 Ⅰ-1호분, 고흥 안동·야막 고분, 해남 외도 1·2호분, 목포 옥암동 초당산 고분(추정), 신안 배널리 3호분, 천안 도림리 3호분 등이 있다. 구조는 5세기 전·중엽 北部九州에서 유행한 石棺系竪穴式石室 혹은 箱式石棺과 흡사하다. 부장품도 갑주, 무구류 등 왜계 물품 위주다. 신안 배널리 3호분 등 초기의 전형적인 사례에서는 한반도 고분에서 보이는 토기를 사용한 제사 흔적이 보이지 않는다. 이러한 고분의 피장자와 역할에 대한 견해는 다양하다. 필자는 남해안과 중서부 해안에 5세기 전엽 이후 등장하는 이러한 왜계 고분을 백제와 왜의 통교, 일본열도와 한반도 사이의 주요 교류·교섭 세력의 교체(금관가야-玄海灘沿岸 중심 교역 루트에서 경남 서부 해안 및 영산강유역-有明海沿岸 세력 중심 교역 루트로의 변환)를 고려하여 연안항로의 중요성과 연결하여 해석한 바 있다(김낙중 2013).

이처럼 5세기 전·중엽에 백제와 왜 왕권의 교섭이 활발하게 이루어지면서 그와 관련된 왜(계)인의 활동이 활발하게 이루어졌고 그 흔적의 하나가 수혈계의 왜계 고분인 것으로 여겼다. 그런데 점차 매장시설 등에서 왜계 요소만이 아니라 현지 묘·장제의 요소도 함께 나타나며 고총화되는 양상이 동일한 연안항로 상의 거점에서 출현한다. 이러한 모습은 5세기 중엽 이후 축조된 해남 신월리 고분, 영암 옥야리 장동 1호분이 잘 보여준다. 해남 신월리 고분은 앞선 시기의 왜계 고분인 외도 고분과 가까운 거리에 있어 축조 집단 간에 상호 밀접한 관련이 있었을 것으로 생각된다.

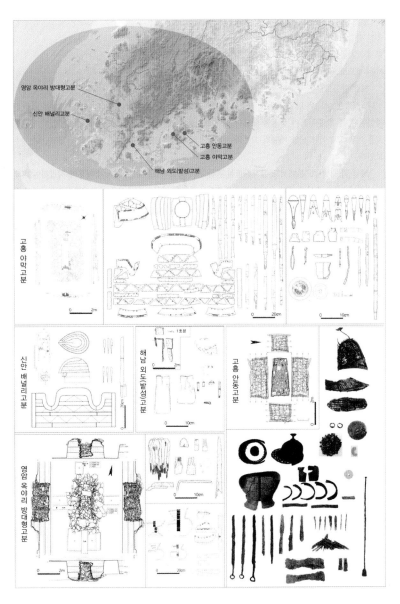

그림 7. 5세기 전·중엽의 왜계 고분 및 부장품(국립나주문화재연구소 2012)

신월리 고분은 분구에 즙석되었고 매장시설이 규슈에서 보이는 箱式石棺과 유사하지만 묘곽 안에 토기가 부장되고, 영산강유역 전통의 전용옹관묘에서 보이는 棺外 토기 부장 등 현지의 매장 의례와 관련된 양상이 보인다. 이 점은 축조주체가 현지세력이었을 가능성에 무게를 두게 한다.

이처럼 고분 조영에 왜계 요소가 일부 포함되지만 현지의 요소가 훨씬 더 강하게 나타나고 규모가 커진 명실상부한 고총이 영산강 하구, 당시에는 內海(남해만)의 해안가에 등장한다. 그 대표적인 사례가 전통적인 매장시설과 분형을 보여주는 영암 옥야리 고분군에서 약간 벗어난 구릉에 위치한 방대형의 고총인 장동 고분군이다. 그 중 1호분이 발굴조사되어 영산강 내륙지역 고총의 등장과 관련하여 중요한 사실을 알려주었다(그림8). 장동 1호분의 매장시설과 흡사한 것이 복암리 고분군과 인접한 나주 가흥리에서도 확인되었다. 이것은 복암리 고분군의 고총화와 석실의 도입에 두 고분의 조영이 영향을 미쳤음을 시사한다.

영암 옥야리 장동 1호분은 옥야리 고분군에서 동남쪽으로 800여m 떨어진 남북 방향의 저평구릉 남쪽 끝 가까운 능선에 입지하는데 길이 30m, 너비 26.3m, 높이 3.3m(구지표 기준)의 대형 방대형 고분이다(그림8, 국립나주문화재연구소 2012·2014). 원래 능선에서 가장 높은 지점을 선택하여 분구 축조의 기준점으로 삼고 가장자리를 따라 주구를 굴착하였는데 주구의 바닥에서 구지표까지의 높이가 3m에 이르러 실제 성토한 것에 비해 훨씬 커 보이는 고총이다. 분구는 거미줄 형태의 구획축조 방식으로 쌓였다. 분구 중앙에 횡구식석실이 분구 축조와 함께 설치되어 있고 석실 축조와 가까운 시기에 동·서·남편의 분구 가장자리 구지표면 가까운 곳에 전형전용옹관이 추가로 안치되었다. 남쪽 기슭에는 판석이 단벽에 사용되어 분구 중심에 있는 횡구식석실의 축약형으로 추정되는 석곽이 한 기 추가되었는데 5세기 말~6세기 전엽에 해당하는 평저직

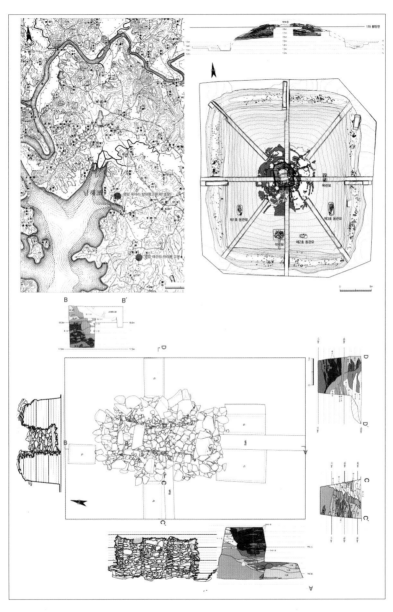

그림 8. 영암 옥야리 장동 1호분(국립나주문화재연구소 2012 일부 재편집)

구소호 등이 출토되어 가장 늦은 매장시설로 추정된다. 동사면에는 목관이 한 기 드러났다. 옹관의 형식이나 출토 토기를 통해 볼 때 대부분의 매장시설은 영산강유역에서 고총이 성행하는 시기와 겹친다. 따라서 분구 축조와 함께 가장 먼저 축조된 중심 매장시설인 횡구식석실은 이보다는 약간 이른 단계에 조성된 것으로 생각된다.

　주 매장시설인 횡구식석실은 구지표 위에 1m 정도 성토한 후 분구 성토와 함께 벽을 축조하였다(그림9). 묘광은 소위 구축묘광으로 위로 가면서 밖으로 벌어지게 점토 덩어리를 쌓으며 안팎으로 마사토 등을 채워간 흔적이 분명하다. 석실 규모는 길이 300㎝, 너비 100~110㎝, 높이 130㎝인데, 양 측벽에는 1m 간격으로 4개씩의 角柱를 세우고 벽을 쌓았다. 각주는 벽면에 포함되어 있다. 벽면은 고르게 맞추어져 있지 않다. 입구는

그림 9. 영암 옥야리 장동 1호분 석실

남쪽에 두었는데(그림9의 右下) 남벽 상부 중앙 부분이 나머지 벽면과 벽석의 방향이 다르고 돌 틈에 채워진 흙도 다른 부분이 분명히 보이며, 외부에도 입구를 폐쇄하고 경사진 묘도를 채운 회색 점토의 흔적이 뚜렷이 나타나기 때문에 횡구식이었음은 틀림없다. 다만 추가장의 흔적은 뚜렷하지 않다.

매장시설인 횡구식석실은 분구 중에 위치하여 시신 안치를 위한 묘도가 분구 위에서 입구 쪽으로 경사져 있다. 문틀은 없으며 묘도 벽은 거의 석축되지 않았다. 입구에 단이 있으며 폐쇄는 할석으로 하였다.

이러한 평면 장방형의 횡구식석실은 영남지역과 일본 九州에서 보인다. 영남지역에서는 5세기 후반에 주로 낙동강 동안지역에서 먼저 조영되었다. 횡구식석실은 한성기 백제에서도 보이는데 평면은 주로 방형이다(홍보식 2009).

장동 1호분 횡구식석실의 평면이 장방형인 점은 백제 초기의 횡구식석실보다는 영남지역이나 九州의 횡구식석실과 관련되었음을 시사한다. 영남지역의 성립기 횡구식석실은 앞 시기의 수혈식석곽의 요소가 많이 남아 있어 평면 세장방형이고, 6세기 전반이 되어서 장방형으로 변화한다(홍보식 2009). 한편 분구 중에 매장시설을 설치한 점은 낙동강 동안지역에서는 보이지 않는 특징으로 영산강유역과 일본열도에서 보이는 특징이다. 또한 석실 외부에서 돌로 뚜껑을 삼은 항아리가 3점 확인되었는데, 이것은 영산강유역의 전용옹관에 보이는 외부 부장토기와 유사한 장법에서 비롯된 것이다. 그리고 문틀이 설치되지 않고 할석으로 폐쇄하였으며 묘도에 석축 벽이 거의 없는 점은 횡구식의 초기적인 양상이라고 할 수 있다. 영산강유역에서 5세기의 백제계 횡구식석실은 보이지 않는다. 이러한 점을 고려하면 장동 1호분 석실은 老司古墳과 같은 이른 시기의 北部九州地域 竪穴系橫口式石室과 관련될 가능성이 있겠다(그림10).

北部九州地域 竪穴系横口式石室은 이 지역에서 4세기 말경에서 5세기 후반까지 유행한 초기횡혈식석실의 한 유형이다. 횡혈식석실로서 완성된 형태에 가까우며 대형이고 전방후원분과 대형 원분 등의 매장주체부로 사용된 횡혈식석실(A류)에 비해 규모가 작고(현실 너비 1.4m 이내), 횡구부에 입구벽이나 문설주가 없는 것이 많으며 최하단의 석축에 수혈식석실의 영향이 남아 있는 등 A류 석실에 비해 구축기법이 단순화하고 속성이 결락한 소형으로 주로 중소 원분이나 대형 고분의 비중심적 매장시설로 사용된 것이다. 기본적으로 횡혈식석실의 범주에 포함되는 것으로 계층차를 보이며 병행하여 축조된 것으로 여기고 있다(重藤輝行 1992).

다만 장동 1호분의 석실은 입구를 판석으로 폐쇄하고 벽면 상부가 안으로 좁혀진 양상을 보이는 일본열도 것과는 차이를 보여 가야의 수혈식석곽의 영향도 간취된다.

한편 장동 1호분 횡구식석실에는 벽 구축의 편의성과 구조적인 안정성

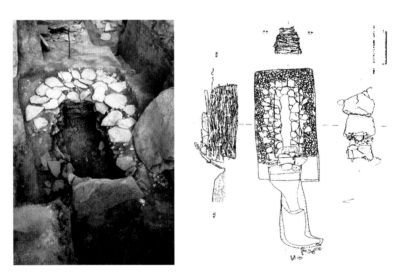

그림10. 로지(老司) 고분 석실(좌:1호, 우:4호 석실)

의 확보를 위해 사용한 것으로 추정되는 벽체 내부의 나무기둥 흔적이 있는데, 이러한 구조는 김해 양동리 유적 93 · 95 · Ⅳ-2호분, 창녕 교동 3호분, 달성 성하리 1 · 2호분 등에서도 확인되었다. 장동 1호분보다 이른 것은 5세기 전반으로 추정되는 김해 양동리 유적이다. 수혈식석곽묘에서 보이는데, 벽체에 포함되는 것은 단벽 가장자리에 있는 나무기둥뿐이며 나머지는 장벽 안쪽에 위치한다. 이러한 시설은 木蓋를 위한 것으로 추정되고 있다(박진일 외 2012). 한편 장벽에 나무기둥이 끼워진 사례는 모두 장동 1호분보다 늦어 그것으로부터 영향을 받았다고 보기 어렵다. 설령 교동 3호분이 장동 1호분 석실보다 일찍 축조되었다고 하더라도 그것으로부터 영향을 받았다고 단정하기는 어렵다. 이러한 기술은 목곽묘 축조 전통이 있는 지역에서 석곽이라는 새로운 묘제로 전환하는 과정에서 구조적으로 취약한 벽체를 보강하기 위해 자연발생적으로 나타날 수 있는 것이다. 아직 분명한 사례는 확인되지 않았지만 목곽과 수혈식석곽이 유행한 서부경남지역의 가야에서도 나타날 수 있는 축조 기술이고, 장동 1호분 석실 부장품 중에 함안계 고배가 있는 점 등을 고려할 때 이 지역 가야 묘제의 영향을 고려할 필요는 남는다.

장동 1호분은 옥야리 고분군과 다른 구릉에 위치하므로 이 일대 유력집단에 변화가 있었을 가능성을 상정할 수 있다. 반남으로 지역정치체의 중심이 이동하기 직전 단계에 조영된 시종 일대의 중심 고분 중 하나였던 것은 분명하다. 조성 시기는 석실 구조나 부장품으로 볼 때 5세기 중엽으로 생각된다(김낙중 2013). 그리고 왜의 요소가 직접적으로 미친 것으로 보기 어려운 점으로 보아 남해안의 여러 지역을 통해 간접적으로 들어온 가야적인 요소와 왜적인 요소를 바탕으로 현지 사정에 맞게 축조한 새로운 형태의 고분으로 추정된다. 고분의 축조 위치가 바닷가라고는 하지만 내륙으로 얼마간 들어온 지점이라는 것도 주목할 점이다.

영암 내동리 장동 1호분은 영산강유역권에서 가장 먼저 등장한 고총으로 평가할 만하다. 이 지역 고총의 등장은 토괴 등을 사용한 구획 성토, 매장시설 및 하니와(埴輪)형 토제품 등으로 보아 왜와 관련이 깊은 것을 알 수 있다. 이러한 왜계 요소의 등장 배경은 백제와 왜의 교섭이다. 그런데 고대 한반도와 일본열도의 교섭에서 가장 중요한 교통로는 연안항로였다. 왜인이나 백제 중앙 세력이 안전한 바닷길을 확보하기 위해서는 연안항로 상 주요 거점 지역 집단의 협조가 필요하였을 것이다. 이것은 해당 고분에 부장된 왜계, 백제계 위세품을 통해서도 확인된다. 백제는 왜 등과의 교섭, 영산강유역 세력에 대한 지배력의 확대 등을 추구하면서 지역사회 재편을 추진하였을 것이다. 이러한 상황을 배경으로 현지에서 고총을 축조하는 유력세력이 등장하였을 것으로 추정된다. 다만 백제가 묘제 자체에 직접적인 영향을 미친 단서는 찾기 어렵다. 장동 고분의 주 매장시설에 추가장이 이루어지지 않았다고 해도 횡혈계 묘제는 1인이 아니라 유력 혈족집단 내에서 세대 등 특정 단위로 사용할 것을 염두에 둔 것이다. 한편 고분을 축조하게 된 계기가 된 피장자가 묻힌 매장시설을 시작으로 분구 축조 후에도 추가로 매장시설이 설치되므로 당시 영산강유역 고분에서 일반적으로 보이는 다장 양상과 상통한다. 이것은 장동 고분과 같은 방대형 고분의 등장에 백제의 영향이 미쳤다고 하더라도 백제를 배경으로 한 특정 개인의 역할이 제한적이었음을 시사한다. 다만 지역사회 내에서 소수의 특정 집단이 두각을 나타낸 것은 제형분에서 분명히 변화된 모습이다.

이러한 해안지역 세력의 성장은 영산강유역 내륙으로 영향을 미쳤을 것이다. 이에 따라 매장시설로 전형 3형식 옹관만을 사용하던 영산강 중하류역의 중핵지역인 무안 사창리 일대, 반남 고분군 일대에서도 고총이 축조되기 시작한다. 그런데 전통적인 세력기반을 가지고 있던 이런 지역에는 석실 등 왜계 묘제 요소의 영향이 직접적으로 스며들지 않았다. 왜게 석실이 나타나는 것은 영산강을 따라 좀 더 위쪽으로 올라간 나주 다시 일대이다. 그중에서도 영암 옥야리 장동 1호분과 매장시설이 거의 유사한 나주 가흥리 신흥 고분은 나주 복암리 고분군에서 규슈계 석실의 등

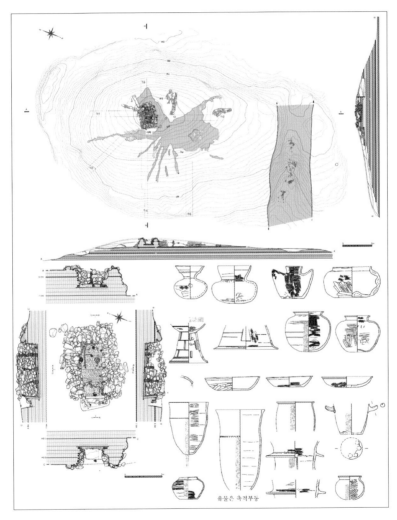

그림 11. 나주 신흥리 가흥 고분 및 출토 유물(李暎澈 · 林智娜 2015 편집)

장 배경을 설명하는 데 중요한 고분이다.

나주 가홍리 신흥 고분은 동에서 서로 흐르는 영산강의 북안 평지에 위치한 나지막한 단독 구릉에 조영되었다(그림11). 문평천을 사이에 두고 복암리 고분군과 1㎞ 정도 떨어져 있다. 2013년에 발굴되었는데, 발굴기관은 국내에서 가장 이른 시기인 5세기 중엽에 조영된 전방후원분으로 발표하였다가(이영철 2014) 반론이 제기되면서(서현주 2014 등) 2차 조사 이후로 결론을 유보한 상태이다. 분구는 구획 성토하였는데 매장주체부가 들어갈 부분을 남겨두고 그 외연을 土堤처럼 먼저 쌓았다. 그 후 그 내부에 석실을 축조하면서 동시에 성토하였다(李暎澈·林智娜 2015).

매장주체시설은 횡구식석실로 영암 옥야리 장동 1호분과 거의 같다. 규모는 길이 272~281㎝, 너비 120~126㎝, 높이 140㎝다. 석실은 먼저 바닥에 대형 판석을 설치한 다음 나무 골조(양 장벽에 간격을 두고 3개 그리고 그 위치의 바닥에 3개, 동 단벽 가운데에 1개의 각목을 설치함)를 짜고 이에 기대어 돌을 쌓아 벽체를 만들며 바깥으로 성토도 함께 하였다. 발굴자는 벽면이 고르지 않고 밀려들었으며 개석 위의 성토부가 두텁지 않음에도 불구하고 개석이 반파되어 석실 중앙에 함몰된 점, 개석의 너비가 나무 골조 간격보다 좁은 점, 바닥의 대형 판석과 개석이 정밀하게 치석된 데 비해 벽석재들은 다듬어지지 않은 점 등을 고려하여 목곽의 가능성을 완전히 폐기하지는 않았지만 '수혈계 횡구식석곽'으로 보고하였다. 구조가 기본적으로 영암 옥야리 장동 1호분 석실과 거의 같다는 점만은 틀림없으며 축조집단 사이에 상호 밀접한 관계를 유지한 것도 분명하다. 벽체 축조와 함께 성토한 층은 크게 두 개의 층군으로 구분된다. 석실의 입구는 서쪽에 두었다. 입구에는 석실 높이의 반 정도에 해당하는 판석이 남아 있는데 외측에 좁은 구덩이가 있고 그 안에 할석이 채워져 있다. 석실의 벽체 축조와 함께 쌓은 성토층이 북·동·남쪽에서는 여러 종류의 점토 덩어리가 사용된 것과 달리 입구 쪽에는 단일한 성분의 사질토와 점질토만이 사용되어 차이를 보인다. 서쪽의 경우 할석으로 벽체를 축조하지 않았기 때문에 점토덩어리를 이용한 보강이 그다지 필요하지 않았을 가능성이 있다. 서쪽 판석 밖에 쌓인 IX-2층이 내향경사를 이루고 있는 점을 근거로 보고자는 판석 폐쇄 이후 쌓인 것으로 추정하였다. 그러나 이 층은 석곽 바닥보다 낮은 위치부터 성토되었기 때문에 판석 폐쇄 후 성토한 것, 즉 묘도 충전토로 보기는 어렵다. 그리고 입구 쪽 성토층이 북·동·남벽 바깥과 다르기는 하지만 묘도를 남겨두고 판석 폐쇄 후 채워 넣은 것으로 볼만한 분명한 흔적이 평면에서 보이지 않는다. 따라서 이 판석은 나머지 벽석의 하단을 축조하는 과정에 함께 세워진 것으로 추정된다. 이 판석은 九州지역의 횡구식석실에서 입구부 하단에 석축부가 있어 단을 이루는 점과 관련하여 주목된다. 段部에 판석이 사용되는 경우도 있다. 이렇게 세워진 서쪽 단벽의 판석 위의 남은 공간으로 시신 안치를 위해 출입하고 개석을 덮은 다음 횡구부를 폐쇄하였던 것으로 추정된다. 구조가 수혈식석곽과 유사한 점, 분구 위에서 아래로 출입하는 묘도, 분구 조성 과정 중에 주검을 안치한 점 등으로 보아 이 석실은 수혈계 횡구식석실로 판단된다.

축조 시기는 5세기 중엽으로 봐도 무리가 없다. 석실 축조와 함께 매납된 유공광구소호는 일본 스에무라(陶邑) TK73~TK216형식과 비교되는 스에키일 가능성이 높은데, 이러한 형식의 스에키가 생산된 시기는 5세기 2/4분기로 편년되고 있다. 주구에서 출토된 발형기대는 소가야 양식으로 5세기 전·중엽에 유행한 것이다. 부장품에는 백제, 왜, 가야 계통의 다양한 물건이 포함되어 있다.

고분이 축조된 가홍리 일대는 해수면 변화와 토양 분석 결과를 고려할 때 5세기 대에는 영산강의 유로였거나 배후습지에 해당한다(김경수

2001, 임영진 2011). 따라서 고분이 조영된 곳은 서쪽 대박산에 흘러내린 구릉의 말단이나 섬이었을 가능성이 높다. 이것은 남해안이나 영산강 하류의 고 남해만 일대에 조영된 왜계 고분 혹은 왜계 요소가 일부 반영된 고총의 입지와 다르지 않다. 매장시설은 비록 현지에서 전통을 찾기 어려운 수혈계 횡구식이지만 관못과 꺾쇠를 사용한 목관을 사용하였으며 석실 내부에서 토기를 이용한 장송의례가 이루어지고 입구 폐쇄 시에 전통적인 鳥形土器를 사용한 행위가 이루어졌으며 한편으로 살포 등 백제와 관련된 부장품이 있는 점으로 보아 무덤의 주인공은 백제, 왜, 현지세력의 흔적을 모두 보인다. 한편 석실 개석 상면과 주구에서 출토된 원통형토기는 복암리 7호분 주구를 파고 만들어진 수혈16에서 나온 원통형토기와 형태 및 승문 타날기법이 거의 같은 점으로 볼 때 복암리 고분군 축조집단과도 서로 밀접한 관계에 있었던 것은 분명하다. 이런 점에서 이 고분의 피장자는 영산강이라는 내륙 수로의 이용과 관련하여 백제, 왜 사이에서 중요한 역할을 한 집단의 일원이었음은 틀림없다. 즉, 백제는 영산강유역 내륙으로 세력을 확대하고, 九州 등 왜의 제세력은 연안항로만이 아니라 수로를 통해 내륙지역 세력과도 교류하려 한 상황을 고려하면 이 고분의 피장자는 영산강 중류역의 사정을 가장 잘 파악하고 있어 교통로 확보 등의 편의를 제공하고 그 대가로 위세품 등을 받아 성장의 기반으로 삼은 현지세력일 가능성이 높다. 그 집단의 취락이 어디인지는 분명하지 않으나 문평천 서안 구릉지대의 말단부에 있을 가능성이 높다.

이처럼 가흥리 신흥 고분은 나주 복암리 3호분 '96석실이 축조되기 이전에 다시의 문평천 하류역이자 영산강 중류역 북안 일대에서 왜인을 비롯한 다양한 국가나 지역집단 출신의 사람들이 활동하였으며 그것이 고분 축조에 반영될 정도였다는 점을 시사한다. 영산강 중류역에서의 왜인의 활동과 이들을 매개로 한 북부규슈지역과의 교류는 이 지역의 중심집단이 축조한 복암리 고분군의 고총화와 북부규슈계 석실 도입의 계기가 되었을 것이다.

가장 나중에 발굴조사된 내동리 쌍무덤 1호 석실도 위에서 살펴본 두 석실과 구조가 거의 같다. 다만 목주가 벽면에 포함되어 있지 않고 덧대졌으며, 바닥 가장자리와 벽면 하단에 판석을 깔거나 세운 점이 다르다. 이것은 북부규슈형 석실의 하단에 장대석이 놓인 것과 관련이 있을 것으로 여겨진다. 그리고 입구 양쪽에 벽이 마련되어 있으며, 규모가 세 석실 중 가장 크고 평면이 방형에 가까워졌다. 횡구식석실이라고 해도 九州지방에서 유행한 수혈계 횡구식석실의 범주에서 벗어나 있어 직접적인 영향은 살피기 어렵다. 이러한 특징은 장동 1호분 석실의 영향으로 현지화가 더 진행되어 나타난 것으로 추정된다. 1호 석실의 이러한 구조와 부장품으로 보아 쌍무덤은 영암 옥야리 장동 1호분을 잇는 5세기 중ㆍ후엽에 축조된 시종 일대의 수장급 고분으로 여겨진다. 1호 석실의 퇴적토에서 출토된 유공광구소호는 1호 석실 조영의 하한 연대를 알 수 있는 자료가 되는데, 기형과 문양이 일본 스에무라 TK23 가마 출토품과 유사하다. 영암 옥야리 장동 1호분, 나주 가흥리 신흥 고분, 무안 덕암 북분 4호 옹관 출토 유공광구소호보다 한 단계 늦은 형식에 해당한다. 이것도 1호분 석실의 조영 연대가 5세기 중ㆍ후엽임을 뒷받침한다.

2) 하니와형 토제품

영산강유역에서 하니와는 묘ㆍ장제의 하나로 수입되어 전방후원형고분, 방대형분 등에 수립되었는데, 그동안 일본의 전방후원분에서 보이는 다양한 하니와 중에서 원통형과 나팔꽃형(朝顔形) 하니와만이 발견되었다. 필자는 이처럼 형상 하니와가 보이지 않는 것은 제사라는 본질보다는 분구 수립이라는 형식만이 일부 받아들여졌기 때문이며, 그러한 이유로 여러 하니와 중에서 가장 간단한 형태의 원통 하니와가 선택되었을 가능성이 높다고 보았다. 즉, 당시 한반도 서남부와 일본열도 사이에서 이루어진 정보 교류에 의해 묘ㆍ장제의 한 요소가 도입되었지만 그 구현에서는 강한 독자성을 살필 수 있다고 여겼다(김낙중 2009).

그런데 이러한 해석에 의문을 제기할 만한 자료가 최근 함평 금산리 방대형 고분과 영암 내동리 쌍무덤에서 출토되었다. 금산리 방대형 고분에

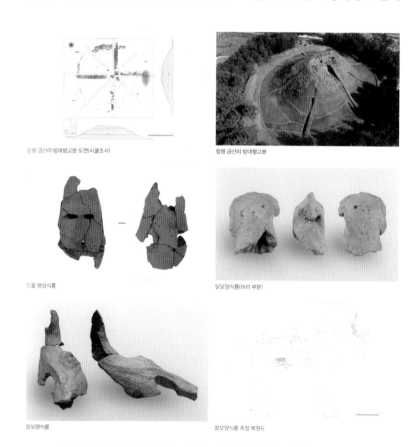

그림 12. 함평 금산리 방대형 고분 출토 형상 하니와(국립나주박물관 2020)

서 형상 하니와 편(그림 12)은 남동쪽 분구 중·하단부 사면에서 집중적으로 출토되었다. 鷄形, 馬形, 人物形 하니와 편이 확인되었는데, 우리나라에서는 처음 출토된 것이다. 형태는 일본 고분시대 형상 하니와를 모방하였으나 제작 기법이 조잡하고 공반된 원통형토기와 마찬가지로 정선되지 않은 태토를 사용한 것으로 보아 현지의 장인들이 제작한 것으로 추정하고 있다(文安植 외 2015). 그런데 함께 출토된 원통 하니와도 영산강유역의 여타 자료와는 다르게 기면에 타날문이 있는 것은 거의 없고 나무판 등으로 긁어 정면한 것이 대부분이다. 이런 점으로 보면 이 고분 출토품은 일본 하니와와의 유사성이 다른 고분 출토 자료에 비해 높다고 할 수 있다. 물론 외면에 타날문이 남아 있고 구연부가 바라져 광주 명화동 고분에서 출토된 것과 유사한 원통형토기도 출토되어 현지화는 분명하게 이루어진 것을 알 수 있다.

한편 영암 내동리 쌍무덤에서는 형상 하니와가 주구에서 출토되었다(전남문화재연구소 2020). 동물 형상은 네 발 달린 짐승인데(그림13), 눈

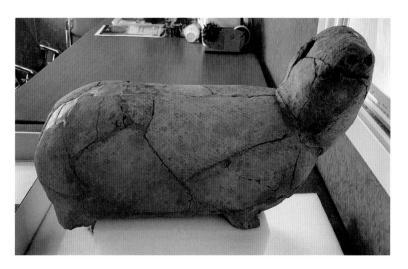

그림 13. 내동리 쌍무덤 1호분 출토 형상 하니와

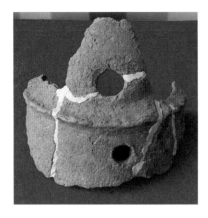

그림 14. 내동리 쌍무덤 1호분 출토
하니와형 토제품

은 뚫어서 표현하였으며 뒤통수에 갈기 혹은 귀로 추정되는 것이 떨어져 나간 흔적이 있다. 사슴, 멧돼지 혹은 말일 가능성이 있다. 표면에는 격자문이 타날되어 있어 현지에서 제작되었음을 보여준다. 원통형의 하니와도 한 점 출토되었는데(그림14), 돌대 기준으로 상하의 직경이 다르고 원형의 투공이 뚫려 있어 일반적인 원통 하니와가 아니라 형상 하니와의 대각일 가능성이 있다. 이것도 표면에 타날문이 남아 있다.

일본에서 하니와 제사는 분정, 기저부의 방형 돌출부, 주구 바깥 둑[堤]에서 중점적으로 이루어졌는데, 분정의 방형 구획에서 먼저 이루어진 후 돌출부와 둑에서도 나타나 병존한다. 주로 家形·器財·動物·人物 하니와 등 '埴輪群像'을 이용하여 守魂·鎭魂儀禮, 死者와 共飮·共食하는 飮食物貢獻儀禮, 사자에 대한 追悼供養儀禮 등이 이루어졌을 것으로 추정되고 있다(小浜成 2005).

금산리 방대형 고분 및 내동리 쌍무덤과 병행하는 시기에 일본에서 유행한 형상 하니와는 주로 전방후원분의 방형 돌출부와 둑에서 사용된 인물과 동물 하니와다. 그런데 금산리 방대형 고분과 내동리 쌍무덤은 우선 방대형분이라는 현지적인 분형인 점이 눈에 띈다. 그리고 출토 위치도 금산리 방대형 고분은 분구 사면의 즙석 사이고, 내동리 쌍무덤은 현재 주구에서만 출토되어 원래의 사용 위치가 일본과 다르다. 그것도 파편으로 발견되어 일본 전방후원분에서와 마찬가지로 하니와 군상을 세워두고 의례에 실제로 사용되었는지도 의문이다.

5세기 말~6세기 전엽에 영산강유역의 고총에서는 하니와형 토제품이 수립되는데, 가장 왜와 밀접한 전방후원형고분에서는 형상 하니와가 사용되지 않은 반면, 현지의 분형이라고 할 수 있는 방대형분에서는 형상 하니와가 사용되어 역설적이다. 이와 함께 어디서도 보기 어려운 현지형의 하니와형 토제품이 돌려진 나주 반남 고분군, 영암 옥야리 방대형 고분도 있어 영산강유역권 지역집단이 왜와 교류하면서도 왜의 무덤제사와 관련된 묘 · 장제의 선택에서는 매우 개별적이었던 상황을 엿볼 수 있다. 이것은 왜의 교류가 특정 세력과 일원적으로 이루어진 것이 아니고, 정보 전달도 모두 직접적인 것은 아니었음을 시사한다. 현지세력의 필요에 따라 왜의 요소가 개별적, 독자적으로 이용된 것으로 여겨진다.

2. 백제와의 관계

1) 금동관

여기서 주목하는 것은 금동관 편(그림 15)인데, 2호 석곽의 장벽 일부가 교란된 부위와 1호 석실의 입구 쪽 개석 아래의 퇴적토 위에서 파편으로 출토되었다. 두 곳은 매우 가까운 곳이다. 이 때문에 금동관이 처음부터 2호 석곽에 부장된 것인지 의문이 든다. 석곽의 규모(5.2m*0.9~1m)나 허술한 구조도 이러한 의문을 부추긴다. 그렇다고 출토위치로 보아 1호 석실의 1차장에 따른 부장품으로 보기도 어렵다. 향후 좀 더 검토가 필요하다.

금동관 편은 일부분만 남아 있지만 나주 신촌리 9호분 을관 출토품과 흡사한 것을 알 수 있다. 대륜에 부착하는 입식의 상부 편이 남아 있는데, 신촌리 9호분 금동관과 마찬가지로 상부는 세 갈래로 나뉘어 끝에 꽃봉

그림 15. 내동리 쌍무덤과 신촌리 9호분 을관
출토 금동관

오리가 있고, 꽃봉오리에는 하부를 금박 입힌 코발트색 유리구슬이 부착되어 있으며, 봉오리와 줄기에는 원형의 영락이 달려 있다. 줄기에는 蹴彫 기법으로 양측과 중앙에 직선, 그리고 그 사이에 파상문이 시문되어 있다. 신촌리 9호분 금동관은 넓은 줄기에 세로로 가늘게 두 줄을 투조하여 세 가닥처럼 보이고, 무늬는 타출된 것이어서 내동리 금동관과 다르다. 꽃봉오리의 구슬도 신촌리 것은 반구상 받침에 구슬을 끼운 형태로 봉오리 상단에 부착되어 있는데, 내동리 것은 금박한 구슬을 봉오리 중앙에 바로 연결하여 차이가 있다. 이러한 시문기법과 입식의 형태로 보면 내동리 금동관이 시기적으로 이를 가능성이 높다. 왜냐하면 백제 금동관의 시문기법은 축조에서 타출로 바뀌었기 때문이다. 축조 기법은 한성기 금동관에서 유행하였고 타출 기법은 웅진기의 익산 입점리 1호분과 나주 신촌리 9호분 금동관에서 보인다. 1호 석실의 평면이 옥야리 장동이나 가흥리 신흥 고분의 석실보다 방형에 가까워져 늦은 양상을 보이고, 금동관과 같이 개석 아래서 출토된 유공광구소호는 스에키(須惠器)계로서 TK23형식으로 추정된다. 이러한 점으로 보아 이 금동관은 5세기 후엽에 부장된 것으로 판단된다.

이 금동관이 제기하는 문제는 다음과 같다. 우선 영산강 하류역의 중심세력이 5세기 후반 이후 반남으로 이동했다고 여겼는데(김낙중 2009:146·303), 시종 일대의 지역세력은 5세기 중엽의 장동 고분에 이어 5세기 후엽에도 반남 고분군을 능가하거나 대등한 힘을 가지고 있었을 가능성이 높아졌다. 그러한 위상은 6세기 전엽의 늦은 단계까지 이어진 것으로 추정된다. 그것은 분구의 상부에서 노출된 세장방형 수혈식석곽묘의 규모가 크고(1호: 길이 440cm, 너비 80cm, 2호: 길이 520cm, 너비 90~100cm), 철검, 금제이식, 유리제 구슬류 등 위세품으로 볼 만한 물건이 부장된 것으로 추정할 수 있다. 1호 석곽의 조성 연대는 그곳에서 출토된 자라병(兩耳附扁瓶 혹은 提瓶)으로 추정하였다. 영산강 하구, 즉 內海를 배경으로 세력을 유지하였을 것으로 여겨지는데 백제 중앙과는 물론이고 왜·가야와의 교류가 중요한 성장 배경이었음은 쌍무덤에서 출토된 형상하니와, 스에키 등을 통해 살필 수 있다.

다음으로 신촌리 금동관을 지역세력이 자체 제작하였다고 여기는 의견도 있는데, 거의 동일한 디자인의 금동관이 하나 더 발견되었으므로 이러한 금동관을 제작하여 배포한 세력은 백제 중앙일 가능성이 더욱 높아졌다. 반남 세력이 배포한 것으로 보기 어려운 것은 시기적으로 내동리 금동관이 이르고, 위세품 사여의 주체와 객체가 재질이나 형태에 차이를 두지 않고 동일한 금동관을 사용한다는 것은 사례를 찾을 수 없는 일이기 때문이다. 이미 이전에도 신촌리 금동관이 웅진기에 백제 중앙에서 제작한 새로운 양식의 금동관이라고 주장한 바 있지만(김낙중 2015b), 내동리 출토품으로 이러한 생각은 더욱 굳어졌다. 그리고 백제가 반남보다 먼저 하류의 영암 시종 세력과 금동관을 매개로 한 정치적인 관계를 맺었다는 점도 드러났다(김낙중 2021).

2) 청자 잔

1호 석실에서 출토되었다. 높이 5.2㎝, 구경 10.6㎝다(그림16). 백제와 관련하여 부장된 중국 청자 중에 가장 남쪽지역에서 출토되어 주목된다.

고대 삼국 중에 백제가 가장 활발하게 중국자기를 수입하여 활용하였다. 중국자기는 대부분 한성기에 풍납토성, 몽촌토성 등 중앙의 생활유적에서 출토되었다. 물론 서울 석촌동 고분군 등 중앙의 무덤에서도 다수 출토되었다. 지방에서는 시유도기가 부안 죽막동 유적이나 홍성 신금성과 같이 제사터, 토성에서 발견된 사례가 있으나 대부분의 중국자기는 무덤에 위세품으로 부장되었다. 이러한 중국자기의 부장도 대부분 한성기에 유행하였다고 여겼다. 그런데 최근에는 웅진기에도 시유도기나 청자를 부장한 사례가 영산강유역권에서 확인되고 있어 주목된다. 함평 금산리 방대형 고분에서 연판문이 시문된 청자 완이 발굴되었고 이번에 가장 남쪽의 내동리 쌍무덤에서 청자 잔이 확인된 것이다. 공반유물에 대한 검토가 더 필요하지만 이 청자잔은 한성기에 사여되었을 가능성도 있다. 한편 시유도기도 웅진기에 계속 사용되었다. 한성기와 달리 지방에서 주로 확인된다. 영산강유역권의 전방후원형고분(함평 마산리 표산 1호분, 해남 용두리 고분), 방대형분(함평 금산리 고분) 등 고총에서 출토되었다. 함평 금산리 방대형 고분에서는 청자 완의 파편도 함께 출토되었다. 영산강유역권에 고총이 축조되던 시기의 고분에서 출토된 중국 도자기를 한성기부터 이어지던 사여 시스템의 연속선상에서 당대에 수입되어 배포된

영암 내동리 쌍무덤 1호 석실

함평 금산리 방대형 고분

그림 16. 영산강유역권 고분 출토 중국자기와 시유도기

것으로 이해해야 할 것인지 여부는 앞으로 자료의 증가와 출토 맥락 등을 면밀히 검토하여 밝힐 과제이다.

IV. 맺음말

이상에서 살펴본 것처럼 내동리 쌍무덤은 영산강유역 고대의 사회의 성장과 발전 과정을 보여주는 고분의 특징에 잘 부합한다. 그 중에서도 영산강 하구에서 처음 고총이 등장한 후 영산강 유역 전역에서 고총군이 활발하게 조영되는 시기 사이, 즉 5세기 중·후엽의 양상을 잘 보여준다. 이때 고총이 축조되며 삼포강유역의 대표적인 집단으로 성장한 것으로 여겨진다. 성장의 배경은 바닷길과 영산강을 이어주는 하구의 포구일 것이다. 이러한 배경으로 왜, 가야, 백제의 영향이 미친 흔적이 복합적으로 남아 있다. 그리고 나주 반남 고분군이 활발하게 조성되던 단계에도 영암 시종 일대 지역집단의 위상이 여전히 건재하였을 가능성을 살필 수 있었다.

【참고문헌】

국립나주문화재연구소, 2012,『영암 옥야리 방대형고분 제1호분 발굴조사보고서』

국립나주문화재연구소, 2014,『영암 옥야리 방대형고분 제1호분 발굴조사보고서(분구)』

김경수, 2001,「榮山江流域의 景觀變化 研究」, 전남대학교 박사학위논문

金洛中, 2006,「墳丘墓傳統과 榮山江流域型 周溝」,『羅州 伏岩里 三號墳』, 국립나주문화재연구소

김낙중, 2009,『영산강유역 고분 연구』, 학연문화사

김낙중, 2013,「5~6세기 남해안 지역 倭系古墳의 특성과 의미」,『湖南考古學報』45, 湖南考古學會

김낙중, 2015a,「영산강유역 梯形墳丘墓의 등장 과정과 의미」,『百濟學報』제14호, 百濟學會

김낙중, 2015b,「백제에서 금동관 사여의 정치·사회적 함의」,『삼국시대 국가의 성장과 물질문화2』, 한국학중앙연구원출판부, pp.125~167.

김낙중, 2016a,「서남해안 일대의 백제 해상교통로와 기항지 검토」,『백제학보』16, 백제학회

김낙중, 2016b,「석실로 본 나주 복암리 세력과 주변 지역의 동향」,『文化財』49-1, 국립문화재연구소

김낙중, 2021,「영산강유역권 마한 관련 유적의 최신 조사 성과와 의의」,『호남고고학보』67, 호남고고학회

대한문화재연구원, 2017,『羅州 月陽里 九陽遺蹟』

文安植·李釨起·宋章宣·崔權鎬·林東中, 2015,『咸平 金山里 方臺形古墳』, 재단법인 전남문화예술재단 전남문화재연구소

박진일 · 심재용 · 김혁중 · 김승연 · 손태진, 2012, 『金海 良洞里 遺蹟』, 國立
　　金海博物館

변남주, 2012, 『영산강 뱃길과 포구 연구』, 민속원

서현주, 2014, 「나주 가흥리 신흥고분의 대외 교류상과 연대관'에 대한 토론
　　요지」, 『고분을 통해 본 호남지역의 대외교류와 연대관』, 국립나주문
　　화재연구소

이영철, 2014, 「나주 가흥리 신흥고분의 대외교류상과 연대관」, 『고분을 통해
　　본 호남지역의 대외교류와 연대관』, 국립나주문화재연구소

李暎澈 · 林智娜, 2015, 『羅州 佳興里 新興古墳』, 문화재청 · 한국문화재재
　　단 · 대한문화재연구원

임영진, 2011, 「나주 복암리 일대의 고대 경관」, 『湖南文化財研究』10, 湖南文
　　化財研究院

林永珍 · 趙鎭先 · 徐賢珠, 1999, 『伏岩里古墳群』, 全南大學校博物館

전라남도문화재단 문화재연구소, 2020, 「영암 내동리 쌍무덤 정밀 발굴조사
　　약식 보고서」

홍보식, 2009, 「횡구식석실」, 『韓國考古學專門事典 古墳篇』, 國立文化財研究
　　所

小浜成 2005, 「埴輪による儀礼の場の変遷過程と王権」, 『王権と儀礼－埴輪群
　　像の世界』, 大阪府立近つ飛鳥博物館

重藤輝行, 1992, 「北部九州の初期横穴式石室にみられる階層性とその背景」,
　　『九州考古學』第67號, 九州考古學會

영암 내동리 쌍무덤 출토 유리구슬 성분분석
: 5-6세기 영산강 고총고분 집단의 해상교역 네트워크 추정

허진아 (전남대학교)

Ⅰ. 머리말

Ⅱ. 동아시아 유리의 종류 및 특징

Ⅲ. 성분분석

Ⅳ. 내동리 쌍무덤 출토 유리구슬의 생산 및 유통

Ⅴ. 맺음말

I. 머리말

영산강 중하류권에 속하는 영암 내동리 쌍무덤을 비롯해 옥야리 방대형 1호분 · 신연리 9호분 · 신연리 연소말고분 등 고총고분들은 기원후 5-6세기대 백제 중앙과 마한 재지집단 간 복잡한 정치적 관계를 나타내는 증거로서 학계의 주목을 받아왔다(김낙중 2014; 임영진 2002; 최영주 2015; 한옥민 2019). 문헌기록상 당시 전남지방이 백제의 지방사회에 속하였음에도 불구하고, 영암 시종 · 나주 반남을 중심으로 하는 영산강 중하류권역은 대규모 노동력을 동원해야 하는 방대형의 마운드 무덤이 축조되거나 생산비용이 높은 대형의 전용옹관이 제작되는 등 마한 재지집단의 정체성이 더욱 강화되어가는 양상을 나타내기 때문이다. 이에 따라 연구자들은 고분의 입지와 규모, 구조 및 부장품 양상에 대한 분석을 통해 영산강 마한집단의 사회정치적 수준과 백제와의 관계를 파악하려는 노력들을 이어오고 있다(강은주 2009, 2019; 김낙중 2011, 2015, 2016; 류창환 2018; 서현주 2005, 2007, 2008, 2016, 2018a, b; 오동선 2009, 2017, 2019; 원해선 2015; 이범기 2015, 2019; 임영진 2020; 최영주 2015, 2018a, b, 2019; 한옥민 2018, 2019, 2020).

마한의 정치적 독립성 여부에 관해서는 연구자들 간 견해차가 존재하나, 5-6세기대 영산강 중하류권 마한 재지집단이 가야 등 주변 사회와 어깨를 나란히 할 정도로 높은 사회경제적 성장을 이루어냈다는 점에는 대다수가 동의하는 것으로 보인다. 백제의 다른 지방사회, 특히 전남의 다른 지역집단과 비교해보아도 영암 내동리 쌍무덤과 같이 지역엘리트가 재지 전통의 무덤(분구)을 대형으로 축조하고 금동관 · 철검 · 구슬 · 중국자기 등 당대 최고 수준의 부장품을 사용하는 경우는 극히 드물기 때문이다[1].

---

1) 영암 내동리 쌍무덤을 제외하면 백제 지방사회에서 금동관이 출토된 사례는 나주

매장 의례에 피장자의 사회적 신분과 지위가 반영된다는 점을 고려하면, 금동관과 더불어 당시 고가의 위세품으로 통하던 구슬이 3,828여 점이나 부장된 사실은 내동리 쌍무덤 피장자의 부와 권력이 다른 지방사회 엘리트들(예를 들면, 유리구슬 천여 점이 출토된 나주 복암리 정촌 고분)과 견주어도 상당히 높은 수준이었음을 짐작케 한다.

구슬은 마한의 대표적인 고분 부장품으로, 원삼국 초기부터 엘리트 네트워크를 상징하는 위신재로 사용되어 왔다(Heo 2020). 가장 많은 양을 차지하는 홍옥(카넬리안)과 유리구슬은 기원전 108년 한군현 설치 이후 본격적으로 운영된 동아시아 해상실크로드(항시적 바닷길)를 통해 수입한 원거리 교역품이다(권오영 2014, 2017; 박준영 2016b; 허진아 2018). 이러한 사실은 적어도 기원전 1세기부터는 마한 엘리트들이 동남아시아 본토 및 수많은 섬들을 비롯해 중국 남부와 동부 그리고 한반도와 일본을 연결하는 동아시아 광역교류망에 참여하였음을 시사한다(허진아 201-9). 중요한 점은, 구슬교역을 매개로 이루어진 해상 교류네트워크가 동아시아 지역사회들 간 상호작용을 높이고 각 지역공동체들의 사회정치적 발전을 이끌었다는 사실이다(Bellina et al. 2014; Carter 2015; Heo 2020; Stark et al. 2006). 교역권 통제에 따른 권력집중화를 비롯해 도시시스템의 출현이나 이데올로기의 공유 등 정치·경제·사회 다방면에 걸쳐 중대한 변화를 야기하며 동아시아 지역사회에 초기국가 및 정치체 출현을 가속화시킨 것으로 알려져 있다. 원삼국 초기부터 동아시아 구슬 해상교역에 참여해 온 마한이 한반도 남부에서 가장 강력한 초기국가 단계 사회로 성장해 나갈 수 있었던 배경도 여기에서 찾을 수 있을 것이다.

이러한 관점에서, 필자는 5-6세기대 영산강 중하류권 마한 재지집단

신촌리 9호분이 유일하다. 고흥 길두리 안동·익산 입점리·천안 용원리·공주 수촌리·서산 부장리·화성 요리에서는 금동관모가 발견되었다.

의 사회경제적 성장이 한성말-웅진백제기 해상교류 확대와 밀접한 관련을 가질 것으로 추정한다(김낙중 2016 참고). 이미 4세기후반 근초고왕대부터 백제와 왜 사이에 긴밀한 교류가 이루어져 왔음은 주지의 사실이다. 따라서 백제 대외전략의 일환으로 동아시아 해상교역이 활성화됨에 따라 그 교두보로서 영산강 중하류권이 급부상하였을 가능성이 상당히 높다고 할 수 있겠다. 물론, 당시 영산강 중하류권에서 이루어진 해상교역 활동(교역 물품의 수준과 종류, 유통 및 재분배 등)이 철저하게 백제 중앙의 관리 및 통제 하에 있었을 가능성도 배제할 수 없다. 그러나, 3-4세기대까지 마한·백제권역이라 할지라도 경기에서 전남까지 색상과 화학조성면에서 매우 다양한 양상을 보여 유리구슬의 수입주체와 국내 유통망이 단일하지 않았던 점(권오영 2017; 박준영 2016b), 400년 이상 유지되어 온 마한과 동아시아 집단들 간 교류네트워크를 단숨에 끊어내는 것이 결코 쉬운 일은 아니었을 것이라는 점을 고려할 때, 5-6세기대에도 영산강 마한집단들이 여전히 해상교역 네트워크를 유지·운영해 나갔을 가능성은 충분하다고 판단된다[2].

따라서 본고에서는, 이 같은 전제 하에, 영암 내동리 쌍무덤 유리구슬의 산지와 유통경로를 파악해보고자 한다. LA-ICP-MS 분석에서 검출된 화학조성비를 통해 유리유형을 결정하고 색상·제작기법 등 형태적 특성을 관찰하여 내동리 유리구슬의 구성 양상을 파악한다. 그 결과를 다시

---

2) 선행연구(권오영 2017; 박준영 2016b)에서도 이미 지적되었듯, 유리구슬의 국내 유통과정을 정확하게 추정해내기란 쉽지 않다. 특히 백제와 영산강 집단들 간 정치경제적 역학관계가 최고조에 다다르는 5-6세기대의 구슬 유통을 파악하기 위해서는, 백제 중앙과 지방사회 간 정치·경제 관계망에 대한 이해가 선행되어야 한다. 향후 내동리와 동시기대 다른 유적들(예를 들면, 무령왕릉·공주 수촌리·고창 봉덕리·나주 복암리)에서 출토된 유리구슬과의 비교 검토를 통해 5-6세기대 영산강 중하류권 해상교역 집단과 백제 중앙과의 관계에 대한 이해를 높이고자 한다.

동남아시아 메콩델타 출토품의 것과 비교하여 산지를 식별한 뒤, 당시 동아시아 국제 정세와 사회적 맥락을 고려하여 유입경로를 추정한다.

II. 동아시아 유리의 종류 및 특징

유리는 주성분인 실리카(SiO_2) · 융제(flux) · 안정제(stabilizer) · 착색제(Colorant)와 같은 구성요소로 이루어져 있다. 유리의 주성분은 실리카이며, 일반적으로 모래 또는 석영 자갈이 주원료로 사용된다(Henderson 2000). 실리카는 융점이 높기 때문에 융해 과정을 촉진하기 위해 융제를 첨가하는데, 이 때 사용되는 대표적인 융제로는 칼륨(산화칼륨, K_2O)과 소다(산화나트륨, Na_2O) · 납(산화납, PbO)이 있다. 융제는 흔히 식물 공급원에서 추출되지만 종종 광물매장지의 소다가 이용되기도 한다. 안정제는 유리가 물에 용해되는 것을 방지한다. 가장 흔한 안정제는 석회(산화칼슘, CaO)와 알루미나(산화알루미늄, Al_2O_3)이다(Turner 1956). 이 세 가지 중요 구성요소 이외에도 유리에는 천연불순물과 함께 안티몬 · 주석 · 코발트 · 구리 · 납 · 철 등 의도적으로 첨가된 불투명제 또는 착색제가 포함된다. 따라서 유리제조법은 사용되는 실리카 · 융제 · 안정제(극소량의 불투명제 · 착색제)의 종류와 양에 따라 달라질 수 있다(Dussubieux 2001).

기원전에 유통된 납-바륨 유리를 제외하면, 마한 · 백제권역에서 출토되는 유리구슬은 크게 칼륨(Potash) · 소다(Soda) · 믹스드알카리(Mixed Alkali) · 납(Lead) 유리 네 가지 계열로 구분된다. 칼륨은 2개, 소다는 7개의 하위그룹으로 세분할 수 있다[3](표 1).

---

3) 고알루미나계(High Alumina) 소다 유리는 남아시아와 동남아시아에서 미량원소를

표 1. 유리유형별 화학조성(Heo 2018)

	칼륨(Potash)		소다(Soda)							믹스드 알카리 (Mixed Alkali)	납 (Lead)
	I	II	High Alumina I	High Alumina II	High Ca-Al	Plant Ash I	Plant Ash II	Natron I	Natron II		
한국 (김규호 2001; 강나영 2013; 박준영 2016a)	Al_2O_3 & CaO: 1~3%	Al_2O_3 (3~5%) > CaO	Al_2O_3: 5%↑ CaO: 5%↓ Al_2O_3 > CaO	Al_2O_3 & CaO 5%↓	Al_2O_3 & CaO ≒5%	Al_2O_3: 5%↓ CaO: 5%↑ Al_2O_3 < CaO MgO & K_2O: 1.5%↑	Al_2O_3 & CaO: 5%↓ MgO & K_2O: 1.5%↑	Al_2O_3: 5%↑ CaO: 5%↓ Al_2O_3 < CaO MgO & K_2O: 1.5%↓	Al_2O_3 & CaO: 5%↓ MgO & K_2O: 1.5%↓	K_2O & Na_2O: 3~5%↑	PbO↑
동남아시아 (Lankton & Dussubieux 2006, 2013)	m-K-Ca-Al (moderate Ca & Al)	m-K-Al low C (m-K-Al)	m-Na-Al 1 m-Na-Ca-Al (moderate Ca & Al)			v-Na-Ca		Natron		Mixed soda potash	

칼륨(Potash)

유리의 융점을 낮추기 위해 칼륨(K_2O)을 융제로 사용하는 칼륨 유리는 한대(漢代) 동아시아에서 크게 성행하였다. 동아시아에서 확인되는 칼륨 유리 산지로 가장 유력한 후보는 남아시아·동남아시아·중국 남부이며, 이들 지역의 여러 작업장에서 다양한 하위유형 유리들이 생산된 것으로 추정해오고 있다(Lankton and Dassubieux 2006). 흥미롭게도 생산공방으로 추정되는 유적은 모두 해안 근처에 위치하고 있어, 이를 근거로

사용하여 보다 세부적으로 분류되었다(Dassubieux 2001; Dassubieux et al. 2010; Lankton and Dassubieux 2006). 기존의 한국 유리구슬 성분 데이터는 세계 유리 연구에서 사용되는 LA-ICP-MS가 아닌 SEM-EDS/XRF 분석법으로 추출되었기 때문에 U(우라늄), Ba(바륨), Zr(지르콘), Zn(아연), Rb(루비듐), Ce(세륨) 등과 같은 필수 미량원소를 식별하는 데 한계를 가진다. 광범위한 유통 범위를 가진 한국의 유리구슬의 산지 및 교역네트워크를 파악하기 위해서는 다른 지역 자료와의 비교 검토가 필수적이므로, 이제부터라도 세계 표준에 맞는 통합 데이터 구축이 이루어져야 할 것이다.

칼륨 유리는 기원전 1천년 중후반경 해상 교환네트워크를 통해 메콩 삼각주 전역에 널리 확산되었을 것이라고 보기도 한다(Carter 2013:407).

칼륨 유리는 안정제로 사용된 Al_2O_3와 CaO의 수준에 따라 크게 다양한 하위유형으로 구분된다. 현재까지 한국에서 확인된 칼륨 유리의 하위유형은 Potash-I, Potash-II이다(표 3). 한국에서 가장 많이 발견되는 Potash-I은 동남아시아의 m-K-Ca-Al과 같은 유형으로 Al_2O_3와 CaO가 모두 3% 미만이다. 한국의 유리는 남인도 아리카메두(Arikamedu)와 카라이카두(Karaikadu) 출토품의 탄산칼륨 조성과 상당한 유사성을 보인다(Lee 2009). Potash-II는 동남아시아의 m-K-Al low C와 같은 유형으로 Al_2O_3가 상대적으로 높은 3-5%를 차지하고 CaO는 낮다. 중국 남부나 동남아시아 지역의 베트남 북부·메콩 삼각주·태국 카오샘케오(Khao Sam Kaeo) 등에서 1차 생산된 것으로 추정한다(Glover and Bellina 2011; Lankton and Dassubieux 2006).

소다(Soda)

소다 유리는 Na_2O를 융제로 사용하고 안정제로 사용된 Al_2O_3와 CaO의 수준(5%를 기준으로)에 따라 다양한 하위유형으로 구분된다(박준영 2016a:76). 현재까지 한국에서 확인된 소다 하위유형은 7개로 High Alumina-I·High Alumina-II·High Ca-Al·Plant Ash-I·Plant Ash-II·Natron-I·Natron-II이다(표 1). 한국에서 가장 많이 발견되는 High Alumina I은 Al_2O_3가 5% 이상, CaO가 5% 미만이며, High Alumina-II는 Al_2O_3와 CaO가 모두 5% 미만이다. High Ca-Al은 Al_2O_3와 CaO가 모두 5% 이상이다. Plant Ash-I은 동남아시아의 v-Na-Ca와 같은 유형으로 Al_2O_3가 5% 미만 CaO가 5% 이상 MgO와 K_2O가 모두 1.5% 이상이다. Plant Ash--II는 Al_2O_3와 CaO가 모두 5% 미만, MgO와 K_2O가 모두 1.5%

이상이다. Natron I은 Al₂O₃가 5% 미만 CaO가 5% 이상 MgO와 K₂O가 모두 1.5% 미만이다. Natron-II는 Al₂O₃와 CaO가 모두 5% 미만, MgO와 K₂O가 모두 1.5% 미만이다.

한편, High Alumina-I 유형은 동남아시아에서 확인된 m-Na-Al 1, m-Na-Ca-Al과 거의 같은 조성비를 가진다고 볼 수 있다. 먼저, m-Na-Al 계열은 융제인 Na₂O와 안정제인 Al₂O₃ 함량이 높다는 특징을 가지는데, 최근 다섯 가지 하위유형이 식별되었다(표 2). 그 중 m-Na-Al 1은 동남아시아에서 가장 흔하게 발견되는 유형으로 우라늄(Ur)은 낮고 바륨(Ba)은 높다는 특징을 가진다. 남아시아가 주생산지로 알려져 있으며(예를 들어 스리랑카 Giribawa 유적, Dussubieux 2001; Lankton and Dussubieux 2006) 불투명한 빨강·오렌지·노랑·녹색·연청·검정 및 투명한 연청이 주를 이룬다. 착색제로 코발트를 사용하는 감청색(dark blue)은 확인되지 않는다(Dussubieux 2010).

m-Na-Ca-Al 유형은 기존에 m-Na-Ca(high-lime mineral soda glass, Lankton and Dussubieux 2006)로 불리다가 최근 라임과 알루미나 함량 간에 상관성이 없다는 사실이 새롭게 밝혀져(Lankton and Dussubieux 2013:436) 지금의 이름으로 수정되었다. 인도 남부·스리랑카·동남아시아 전역에서 흔하게 발견되는데, 이것의 원소재는 인도 아리카메두에서 생산된 것으로 알려져 있다(Dussubieux and Gratuze 2010; Lankton and Dussubieux 2013). 이 외에도 태국 푸카오통(Phu Khao Thong, Dussubieux and Gratuze 2010)·태국 말레이반도 클롱탐(Khlong Thom/Khuan Lukpat, Lankton and Dussubieux 2013) 등 동남아시아 해안지역에서도 생산이 이루어진 것으로 보인다. 안정제인 Al₂O₃가 5-15%로 같은 고알루미나군에 속하는 m-Na-Al 1 유형과 화학조성비상에서 큰 차이를 보이지 않는다. 두 유형을 구분할 수 있는 가장 분명한 기준은 코

발트 블루 즉 감청색의 유무로, 고알루미나 계열 유리 중 감청색일 경우에는 일단 m-Na-Ca-Al 유형으로 구분하는 경향이 있다(Carter 2013:289).

철기시대 전기(500 BCE-1 CE)에는 상당수의 구슬이 인도에서 1차(즉 소재 생산) 및 2차(즉 가공품 생산) 형태로 생산된 후 동남아시아 지역에 수출되었고 이것이 다시 주변 동아시아 지역사회로 유통된다. 철기시대 후기(1-500 CE)에 들어와서는 고알루미나계 소다 유리가 베트남 옥에오(Oc Eo)·태국의 카오샘케오·크롱탐 등 메콩 삼각주유역 즉 지역의 생산공방에서 대량 생산되기 시작한다. 특히 기원후 200-400년 동안 매우 많은 양의 고알루미나 소다 유리가 동남아시아 전역으로 유통되었다(Carter 2013:357).

표 2. 고알루미나계 m-Na-Al 유형 분류(Carter 2016:21; Dussubieux et al. 2010)

유형	주생산지	특징
m-Na-Al 1	남인도 스리랑카 Giribawa	우라늄은 낮고 바륨·스트론튬·지르콘 함량은 높음 기원후 1-10세기까지 생산됨 불투명 빨강·주황·노랑·녹색·검정·흰색, 투명한 연청색
m-Na-Al 2	서인도?	우라늄은 높고 바륨·스트론튬·지르콘 함량은 낮음 기원후 9세기부터 19세기까지 인도의 서부 해안이나 Chaul 항구 같은 아프리카의 동부 해안을 중심으로 유통
m-Na-Al 3	태국 Khao Sam Keo 미얀마 Samon Valley 북인도 Kopia	남인도 & 스리랑카에서는 확인되지 않음. 태국·캄보디아·베트남 남부를 중심으로 유통. 칼륨과 더불어 초기 단계(기원전 5-1세기) 유리유형 빨강과·검정 다수, 투명한 에메랄드 녹색은 소량
m-Na-Al 4	아프리카	기원후 10-19세기까지 생산됨 기원후 17-19세기 케냐 Muasya 유적에서 발견됨 불투명 노랑·녹색·갈색·검정·감청, 투명한 터키블루·빨강·흰색
m-Na-Al 5	중동	터키 Saridis 유적에서 확인됨. 남아시아 & 동남아시아에는 유통되지 않았음. 감청색을 내기 위해 사용된 코발트는 기원후 13-15세기 유럽과 북아프리카, 12-14세기 이슬람 지역에서 사용된 코발트 원석과 동일한 조성비를 가짐

한편, Plant Ash(v-Na-Ca)와 Natron 유형은 남아시아·동남아시아 지

역이 아닌 중앙아시아 · 중국 북부 즉 오아시스 실크로드 지역과 연계하여 보고 있다. 특히 Plant Ash 유형은 이집트 · 메소포타미아 · 페르시아와 밀접한 관련이 있는 것으로 알려져 있는데(박준영 2016b:153) 태국 클롱탐에서 출토된 Plant Ash 유리구슬의 경우 페르시아 사산(224-651 CE) 생산품으로 판명나기도 하였다(Lankton and Dussubieux 2013). 그러나 한편에서는, 여전히 데이터가 충분치 않다는 이유로 Plant Ash와 Natron 유리의 기원지에 대해서는 유보적 입장을 취하기도 한다(Carter 2013 참고).

믹스드알카리(Mixed Alkali)

믹스드알카리 유리는 K_2O와 Na_2O가 3-5% 이상이며 주로 불투명한 빨강 · 주황색이 다수를 차지한다[4]. Lankton and Dussubieux(2006:138)에 따르면, 이 유리는 고알루미나 소다 유리와 관련성이 높아 보이며 태국 카오샘케오 같은 말레이반도 지역의 작업장에서 생산되었을 가능성이 있다. 최근에는 남아시아를 비롯해 동남아시아 여러 지역에서 다양한 믹스드알카리 유형이 유통되었던 사실이 밝혀지기도 하였다(Carter and Lankton 2012).

한국에서는 발견 사례가 적어 특정하기 어려우나, 청원 상평 유적에서 출토된 오렌지색 믹스드알카리 유리구슬(3점)의 경우 태국 푸카오통[5] 출토품과 유사한 조성비를 가지는 것으로 밝혀졌다(Heo 2018). Carter(2013)에 따르면, 태국 말레이반도의 카오샘케오 · 푸카오통 출토 믹스드알카리 유리는 인도나 동남아시아 다른 지역에서 발견된 믹스드알

---

4) 카오샘케오 사례처럼 청명한 파랑색(copper blue)이 발견되는 경우도 있다 (Lankton et al. 2008; Lankton and Dussubieux 2013).

5) 동남아시아 철기시대 국제교역센터 중 하나로 수많은 남아시아 유물들이 발견되었다(Noonsuk 2005).

카리 유리와 조성비면에서 분명하게 구별된다고 한다. 그의 주장대로 아직 이 유형의 유리가 언제, 어디에서 제조되었는지 명확하게 알 수는 없지만, 이 연구를 통해 적어도 상평 출토품이 푸카오통에서 시작된 교역네트워크와 밀접한 관련을 가진다는 사실은 확인된 셈이다.

납(Lead)

납 유리는 융제인 PbO 함유량이 월등히 높다. 기원전에 유행한 납-바륨(lead-barium) 유리와 달리 바륨이 포함되지 않고 납 함량이 79% 이상이다(이인숙 2014:529). 중국이 주요 산지로 알려져 있으며(Dussubieux 2001) 납동위원소 분석을 통해 정확한 산지 및 시기 파악이 가능하다(Henderson et al. 2005). 동남아시아에서는 앙코르보레이·인도네시아 사라왁(Sarawak)·베트남 사휜 유적인 라이응이(Lai Nghi)에서 소량 발견되었을 뿐이다. 이에 반해 한국에서는 출토 사례가 적지 않은데, 기원전에 유통된 납-바륨 유리를 제외하면 대체로 삼국시대에 집중되고 있다. 부여 관북리·익산 왕궁리 공방에서 출토된 도가니와 다량의 판유리편들로 보아 기원후 6-7세기부터는 납 유리제품(예를 들어 녹색의 사리용기)을 국내에서 자체 생산한 것으로 보인다(박준영 2015).

III. 성분분석

1. 분석 대상 및 방법

세계고고학계는 고대사회의 광범위한 교역 및 교환네트워크 복원을 위해 동남아시아 지역을 중심으로 유리구슬에 대한 성분분석 연구를 진행해오고 있다(Carter 2015; Dussubieux 2001; Dussubieux and Gratuze 2003; Dussubieux et al. 2010; Lankton and Dussubieux 2013; Lankton and Dussubieux 2006, 2013; Lankton et al. 2008). 해당 연구들은 생산 공방 및 지역 간 비교를 통해 유리구슬의 생산과 유통을 파악하려는 노력을 이어오고 있는데, 미량원소 추출과 비파괴분석이 가능한 LA-ICP-MS 분석을 사용하여 유리의 유형을 분류하고 다시 각 유형별 하부집단을 세분하여 비교 검토하는 방식을 취하고 있다.

유리소재는 1차 공방에서 생산된 후 제품으로 가공되기 위해 2차 작업장으로 보내진다. 그러므로 원론적으로는, 화학조성비 비교를 통해 특정 기간·지역·작업장의 유리제조법을 식별하는 것이 가능하다. 화학조성비 즉 레시피(recipe)로는 유리소재 생산지, 제작기술로는 2차 공방지를 구분해 낼 수 있는 것이다. 그러나 레시피가 여러 위치에서 수백 년에 걸쳐 사용되었거나 단일 유리 생산공방에서 유리구슬을 만들기 위해 여러 가지 다른 레시피가 사용될 가능성도 있기 때문에 항상 명확한 구분이 가능하다고 장담하기는 어렵다(Lankton and Dussubieux 2006). 그나마 다행스러운 점은, 최근 연구성과에서도 알 수 있듯이, LA-ICP-MS 분석을 이용함으로써 기존의 SEM-EDS/XRF 분석 때보다 다양한 레시피를 식별할 수 있게 되었다는 점이다. 비교적 높은 정확도로 유리의 유형을 결정지을 수 있게 되었을 뿐만 아니라 미량원소를 비롯해 추출가능한 원소가 늘어나 산지 추정이 보다 용이해졌다(Carter 2013).

본 연구에서 사용된 분석 장비 및 조건은 <표 3>과 같다. 분석대상은 1호 석곽·1-1호 석곽·2호 석곽·2호 옹관에서 출토된 유리구슬 3,821점 가운데 시료의 대표성을 고려하여 총 109점을 샘플로 선정하였으며, 여기에서 다시 유구별 대표성을 띠는 48점을 선정하여 LA-ICP-MS 분석을 실시하였다(표 4). 시료 형태는 관옥·환옥·연주옥·중층(금박)

유리 · 육각형구슬 · 채색옥(연리문)이며, 색상은 감청색 · 자색 · 적갈색 · 벽색 · 녹색 · 흑색 등으로 내동리 쌍무덤에서 출토된 구슬의 모든 형태와 색상을 포함한다. DinoLight-Professional 이동식 현미경을 이용해 분석대상 109점에 대한 사진 촬영 및 색상 · 제작기법 등 형태적 특성을 관찰하였고, 48점에 대한 성분분석은 2021년 4월 19일부터 20일까지 부산대 공동실험실습관 LA-ICP-MS 실험실에서 진행하였다. 분석은 20초 동안 Ablation 하였으며, 앞뒤 Purge 시간은 각 15초이다. 원소 함량 값은 시료 1점 당 세 포인트를 찍어 얻은 측정값들의 평균을 내었다.

표 3. 분석 장비 및 조건(부산대학교 공동실험실습관)

Laser ablation system: ASI J200 LA model
Laser type Yb:KYW femtosecond Laser wavelength 343nm Pulse length 480fs Spot size: 0.07mm Laser frequency 10Hz laser power: 63 uJ / Pre ablation Power: 38 uJ Ablation cell gas Helium 0.7 l min-1 Makeup gas Argon 0.7 l min-1
ICP-MS: ThermoFisher Scientific iCapQ
RF power 1350 W Plasma gas flow rate 14.0 l min-1 Auxiliary gas flow rate 0.8 l min-1 Dwell time per isotope 10 ms Detector mode Dual

표 4. 분석대상 구슬 현황

유구명_1	유구명_2	샘플 구슬 개수	LA-ICP-MS 분석시료 개수
1호 석곽	1호 석곽(1)	7	2
	1호 석곽(2)	9	8
	1호 석곽(3)	8	3
	1호 석곽(10 · 11 · 13)	3	1

1-1호 석곽	1-1호 석곽	5	3
2호 석곽	2호 석곽(1)	11	6
	2호 석곽(2)	9	5
	2호 석곽(3)	8	-
	2호 석곽(4)	10	-
	2호 석곽(4-1)	9	2
	2호 석곽(5)	2	-
	2호 석곽(대도)	9	6
	2호 석곽(두향)	1	1
2호 옹관	2호 옹관(소옹)	12	6
	2호 옹관(2지점)	6	5
합계		109	48

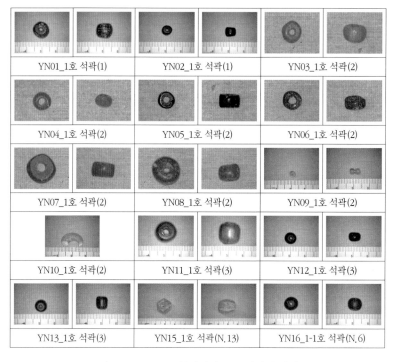

그림 1. LA-ICP-MS 분석대상 구슬 현미경 사진 1

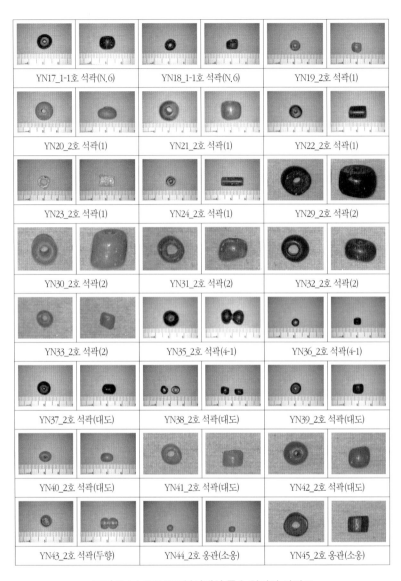

그림 2. LA-ICP-MS 분석대상 구슬 현미경 사진 2

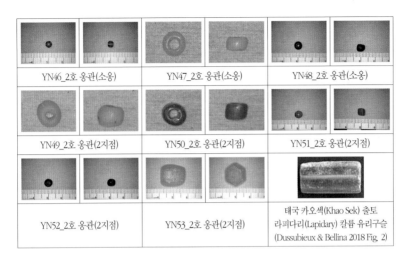

YN46_2호 옹관(소옹)	YN47_2호 옹관(소옹)	YN48_2호 옹관(소옹)
YN49_2호 옹관(2지점)	YN50_2호 옹관(2지점)	YN51_2호 옹관(2지점)
YN52_2호 옹관(2지점)	YN53_2호 옹관(2지점)	태국 카오섹(Khao Sek) 출토 라피다리(Lapidary) 칼륨 유리구슬 (Dussubieux & Bellina 2018 Fig. 2)

그림 3. LA-ICP-MS 분석대상 구슬 현미경 사진 3

2. 분석결과

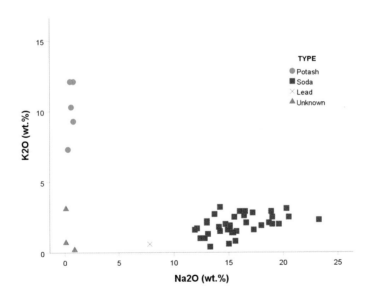

그림 4. 내동리 유리구슬 유형 분류(칼륨 · 소다 · 납)

<그림 4>는 내동리 유리구슬이 사용된 융제에 따라 크게 세 그룹 칼륨·소다·납으로 나뉠 수 있음을 보여준다. 각각의 유리는 각기 다른 제조법을 통해 만들어졌을 것인데, 안정제 K2O(석회)·Na2O(알루미나) 양에 따라 다시 여러 하위유형으로 분류될 수 있다.

분석대상 48점 가운데 1호 석곽에서 출토된 YN 01·05·10(곡옥), 1-1호 석곽에서 출토된 YN18, 2호 옹관(2지점)에서 출토된 YN53은 K2O·Na2O가 모두 3% 이하로 Potash-1 유형에 해당한다(표 5, 그림 4). 2호 석곽에서 출토된 YN23은 접기(folding) 기법으로 제작된 관옥으로 PbO 함량이 63.24%로 납 함량이 압도적으로 높아 Lead 유리로 분류될 수 있다(그림 4). 이들을 제외한 나머지 30점(판별불가 YN 15·35·36 제외)은 모두 소다 계열인데 안정제로 사용된 Al2O3와 CaO의 수준(5%를 기준으로)에 따라 High Alumina-1·Plant Ash-1·Natron 2 유형으로 세분된다(그림 5). <표 1>에서 알 수 있듯이, Al2O3가 5%와 CaO가 모두 1-3%

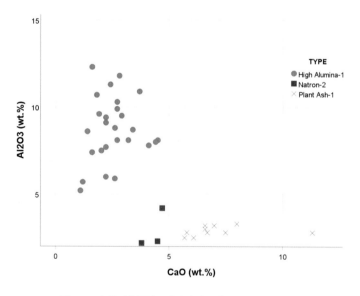

그림 5. 소다 유리 분류(고알루미나·나트론·플랜트애쉬)

이면 High Alumina-1, Al$_2$O$_3$가 5% 미만 CaO가 5% 이상 MgO와 K$_2$O가 모두 1.5% 이상이면 Plant Ahs-1, Al$_2$O$_3$와 CaO가 모두 5% 미만 MgO와 K$_2$O가 모두 1.5% 미만이면 Natron-2에 해당한다.

그런데 고알루미나계(High Alumina) 소다 유리의 경우, 남아시아·동남아시아 지역의 화학조성비와 직접 비교하게 되면 보다 세부적인 유형 식별이 가능하다(Carter 2013; Dassubieux 2001; Dassubieux et al. 2010; Lankton and Dassubieux 2006; Dussubieux and Bellina 2018). 앞서 지적하였듯, 기존의 SEM-EDS/XRF 분석에서는 불가능했던 미량원소 추출이 LA-ICP-MS 분석에서는 가능하기 때문이다. 〈그림 6〉은 내동리와 Carter(2013), Dussubieux and Bellina(2018)의 데이터에서 추출한 산화마그네슘(MgO)·지르콘(Zr)·스트론튬(Sr)·바륨(Ba)·우라늄(U)·세슘(Cs) 원소에 대한 PCA(Principle Component Analysis) 결과이다. 한국

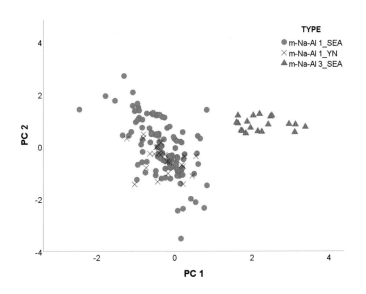

그림 6. 고알루미나계 소다 유리 분류 (X: 내동리, ○: 동남아시아, △: 태국 Khao Sek)
(원소 MgO·Zr·Sr·Ba·U·Cs 포함, Carter 2013; Dussubieux and Bellina 2018 참고)

의 선행연구를 기준으로 분류한 내동리 쌍무덤 출토 High Alumina 1 유형이 남아시아 · 동남아시아 지역의 m-Na-Al 1 유형과 유사한 조성비를 가진다는 것을 알 수 있다.

동아시아 지역에 널리 유통된 것으로 알려져 있는 m-Na-Al 유리는 m-Na-Al 1과 m-Na-Al 3 두 유형이다(표 2). m-Na-Al 1은 기원후 1-10세기까지 남인도와 스리랑카 Giribawa에서 주로 생산되었으며 태국 등 일부 동남아시아에서도 생산되었을 것으로 추정되는 유형이다(Carter 2016). 특히 동남아시아에 대량 유통된 유형으로 당겨끊기(drawn) 기법으로 제작하여 대부분 1cm 미만의 소옥에 해당하며 감청색을 제외한 불투명한 빨강 · 오렌지 · 노랑 · 녹색 · 연청 · 검정 및 투명한 연청등 다채로운 색상이 특징이다(Dussubieux 2010). 내동리 샘플에서도 노랑 · 연청 · 녹색 등 다양한 색상이 눈에 띈다. 한편, m-Na-Al 3("KSK" 유형)은 태국 Khao Sam Keo, 미얀마 Samon Valley, 북인도 Kopia에서 주로 생산되었으며 태국 · 캄보디아 · 베트남 남부를 중심으로 유통되었다. 남인도와 스리랑카에서는 확인되지 않는 유형으로 빨강 · 검정이 다수를 차지하고 투명한 에메랄드 녹색은 소량 확인된다. 내동리에서 발견된 유리구슬에서는 이 조성이 확인되지 않았다. 분석에 사용된 샘플은 태국 Khao Sek 출토품으로 북인도 Kopia 생산품(Dussubieux and Kanungo 2013)과 유사한 조성비를 가진다.

표 5. 내동리 쌍무덤 출토 유리구슬의 형태 · 화학적 특징

코드	유구명	종류	제작기법	투명도	색상	유형1	유형2_한국	유형2_동남아
YN01	1호 석곽(1)	환옥	drawn	opaque	d-blue	Potash	Potash- I	m-K-Ca-Al
YN02	1호 석곽(1)	환옥	drawn	opaque	d-blue	Soda	Plant Ash- I	v-Na-Ca
YN03	1호 석곽(2)	환옥	drawn	trans,	l-green	Soda	High Alumina- I	m-Na-Al 1
YN04	1호 석곽(2)	환옥	drawn	trans,	l-blue	Soda	High Alumina- I	m-Na-Al 1

YN05	1호 석곽(2)	환옥	drawn	opaque	d-blue	Potash	Potash-I	m-K-Ca-Al
YN06	1호 석곽(2)	환옥	drawn	opaque	red	Soda	High Alumina-I	m-Na-Al 1
YN07	1호 석곽(2)	환옥	drawn	opaque	blue	Soda	High Alumina-I	m-Na-Al 1
YN08	1호 석곽(2)	환옥	drawn	trans.	l-green	Soda	High Alumina-I	m-Na-Al 1
YN09	1호 석곽(2)	금박	중층/연주	trans.	gold	Soda	Plant Ash-I	v-Na-Ca
YN10	1호 석곽(2)	곡옥	mold	trans.	trans.	Potash	Potash-I	m-K-Ca-Al
YN11	1호 석곽(3)	환옥	중층	trans.	gold	Soda	High Alumina-I	m-Na-Al 1
YN12	1호 석곽(3)	금박	drawn	opaque	d-blue	Soda	Plant Ash-I	v-Na-Ca
YN13	1호 석곽(3)	환옥	drawn	opaque	d-blue	Soda	Plant Ash-I	v-Na-Ca
YN15	1호 석곽 N.13	육각형	mold?	semi-trans.	l-blue	Unknown	Unknown	Unknown
YN16	1-1호 석곽(N.6)	환옥	drawn	opaque	blue	Soda	Plant Ash-I	v-Na-Ca
YN17	1-1호 석곽(N.6)	환옥	drawn	opaque	d-blue	Soda	Plant Ash-I	v-Na-Ca
YN18	1-1호 석곽(N.6)	환옥	drawn	opaque	d-blue	Potash	Potash-I	m-K-Ca-Al
YN19	2호 석곽(1)	환옥	중층	trans.	gold	Soda	High Alumina-I	m-Na-Al 1
YN20	2호 석곽(1)	환옥	wound?	opaque	green	Soda	Natron-II	Natron
YN21	2호 석곽(1)	환옥	중층	trans.	gold	Soda	High Alumina-I	m-Na-Al 1
YN22	2호 석곽(1)	관옥	folding	opaque	d-blue	Soda	Plant Ash-I	v-Na-Ca
YN23	2호 석곽(1)	관옥	folding	semi-trans.	l-blue	Lead	Lead	Lead
YN24	2호 석곽(1)	관옥	folding	trans.	d-green	Soda	High Alumina-I	m-Na-Al 1
YN29	2호 석곽(2)	환옥	drawn	opaque	d-blue	Soda	Natron-II	Natron
YN30	2호 석곽(2)	환옥	drawn	trans.	l-blue	Soda	High Alumina-I	m-Na-Al 1
YN31	2호 석곽(2)	환옥	drawn	trans.	l-blue	Soda	High Alumina-I	m-Na-Al 1
YN32	2호 석곽(2)	환옥	drawn	trans.	d-blue	Soda	High Alumina-I	m-Na-Al 1
YN33	2호 석곽(2)	환옥	drawn	trans.	l-blue	Soda	High Alumina-I	m-Na-Al 1
YN35	2호 석곽(4-1)	환옥	연주	opaque	d-blue	Unknown	Unknown	Unknown
YN36	2호 석곽(4-1)	환옥	drawn	opaque	d-blue	Unknown	Unknown	Unknown
YN37	2호 석곽(대도)	환옥	drawn	opaque	d-blue	Soda	Plant Ash-I	v-Na-Ca
YN38	2호 석곽(대도)	환옥	drawn	opaque	d-blue	Soda	Natron-II	Natron
YN39	2호 석곽(대도)	환옥	drawn	opaque	d-blue	Soda	Plant Ash-I	v-Na-Ca
YN40	2호 석곽(대도)	환옥	drawn	trans.	l-blue	Soda	High Alumina-I	m-Na-Al 1
YN41	2호 석곽(대도)	환옥	drawn	trans.	l-green	Soda	High Alumina-I	m-Na-Al 1
YN42	2호 석곽(대도)	환옥	drawn	opaque	green	Soda	High Alumina-I	m-Na-Al 1
YN43	2호 석곽(두향)	금박	중층/연주	trans.	gold	Soda	High Alumina-I	m-Na-Al 1

YN44	2호 옹관(소옹)	환옥	drawn	opaque	l-blue	Soda	High Alumina- I	m-Na-Al 1
YN45	2호 옹관(소옹)	환옥	drawn	opaque	red	Soda	High Alumina- I	m-Na-Al 1
YN46	2호 옹관(소옹)	환옥	연리문	opaque	colorful	Soda	High Alumina- I	m-Na-Al?
YN46	2호 옹관(소옹)	환옥	연리문	opaque	colorful	Soda	Plant Ash- I	v-Na-Ca?
YN47	2호 옹관(소옹)	환옥	drawn	opaque	yellow	Soda	High Alumina- I	m-Na-Al 1
YN48	2호 옹관(소옹)	환옥	drawn	opaque	d-b-black	Soda	High Alumina- I	m-Na-Ca-Al
YN49	2호 옹관(2지점)	환옥	drawn	opaque	yellow	Soda	High Alumina- I	m-Na-Al 1
YN50	2호 옹관(2지점)	환옥	drawn	trans.	l-blue	Soda	High Alumina- I	m-Na-Al 1
YN51	2호 옹관(2지점)	환옥	drawn	opaque	red	Soda	High Alumina- I	m-Na-Al 1
YN52	2호 옹관(2지점)	환옥	drawn	opaque	d-b-black	Soda	High Alumina- I	m-Na-Ca-Al
YN53	2호 옹관(2지점)	육각형	mold?	semi-trans.	l-blue	Potash	Potash- I	m-K-Ca-Al

drawn: 당겨끊기, folding: 접기, mold: 주조, wound: 감기, trans.=transparent

YN25, YN53: 라피다리(Lapidary) 칼륨 유리구슬

YN20: 연주기법일 가능성 있음. 채색옥(YN46) 1점은 spot을 달리하여 2회 분석함.

IV. 내동리 쌍무덤 출토 유리구슬의 생산 및 유통

동남아시아 일대에서는 기원전 500년경부터 해상교역 및 지역 간 교환네트워크를 통해 많은 양의 유리구슬이 유통되었다. 특히 기원후 200-400년 동안 그 양이 폭발적으로 증가하였는데(Carter 2013:357), 그 배경으로 인도-태평양(Indo-Pacific) 유리구슬로 대표되는 고알루미나계 소다 유리의 대량 생산과 해상왕국 부남(Funan, 扶南; 58—550 CE)의 성장을 들 수 있겠다. 특히 부남의 국제교역항이자 교역도시였던 옥에오는 기원후 1-7세기대 인도-태평양 유리구슬 생산을 담당하던 주요 제작지 중 하나이다(Carter 2016).

뿐만 아니라, 당시 성행하던 소다 유리구슬 교역은 동남아시아를 넘어 한반도 남부 고대 정치체 형성과 사회정치적 발전에도 중요한 영향을 미

치게 된다. 고가의 구슬이 마한 엘리트들 간 네트워크를 상징하는 위신재로 쓰이면서 교역/교환에 대한 통제 및 해상교역 네트워크가 엘리트 권력 창출의 주요 수단으로 자리매김하게 된 것이다(허진아 2018, 2019, Heo 2020). 영암 및 나주를 위시로 하는 영산강 중하류권 5-6세기 고총고분 집단들의 출현 역시 이 같은 당시 사회정황과 무관하지 않을 것이다.

이와 같은 맥락에서, 여기에서는 내동리 쌍무덤 출토 유리구슬의 산지 및 교환중심지와 국내로의 유입경로를 추정해보고자 한다.

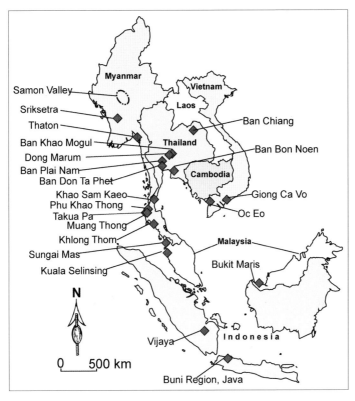

그림 7. 동남아시아 구슬(석제·유리) 생산 유적(Carter 2016:17, Fig. 1)

표 6. 남아시아 · 동남아시아 유리구슬 생산 유적(Carter 2016, Table 1-2 & Appendix A)

유적명	유적 중심연대	1차(소재) 생산	2차(가공품) 생산
인도 Arikamedu	3세기 BCE-3세기 CE	○	○
스리랑카 Mantai	1-10세기 CE	○	○
베트남 북부/남중국	3세기 BCE-3세기	증거는 X 가능성 ○	증거는 X 가능성 ○
베트남 Giong Ca Vo	400 BCE	가능성 ○	증거는 X 가능성 ○
베트남 Oc Eo	2-6세기 CE	X	가능성 ○
태국 Ban Bon Ta Phet	4-2세기 BCE	증거는 X 가능성 ○	가능성 ○
태국 Khao Sam Kaeo	4-2세기 BCE	가능성 ○	○
태국 Khlong Thom/Khuan Lukpad	2-6/7세기 CE	가능성 ○	가능성 ○
태국 Phu Khao Thong	2세기 BCE-4세기 CE	X	가능성 ○
태국 Takua Pa	9세기 CE	X	가능성 ○
미얀마/버마	1천년 후반 BCE	X	가능성 ○
말레이시아 Kuala Selinsing	3-8세기 CE	X	가능성 ○
말레이시아 Sungai Mas	10-11세기 CE	X	가능성 ○
인도네시아 자바섬 동부	5-10세기 CE	X	○
인도네시아 수마트라섬 Vijaya	7-12세기 CE	X	가능성 ○

1. 산지 및 교환중심지 추정

먼저 칼륨 유리를 살펴보자. 내동리에서 출토된 Potash-Ⅰ 즉 m-K-Ca-Al 유형은 한반도에서 가장 높은 출토 비율을 보이며, 청색과 감청색 등 청색계 유리들이 주류를 이룬다(박준영 2015). 또한 내동리 유리는 화학 조성면에서, 〈그림 8〉과 같이 K_2O와 Al_2O_3 조성비를 기준으로 할 때, 남중국 유리와 확연한 차이를 나타내는 반면 남아시아에서 출토된 유리와는 상당히 중복되는 양상을 보인다. 즉 내동리 유리구슬이 남아시아 · 동남아시아 유리구슬과 동일한 공방에서 생산되었거나 유통/교환이 이루어진 지역이 유사할 가능성이 있는 것이다. 이러한 양상은 내동리 집단 혹은 해상교역에 참여했던 집단들이 한반도와 지리적으로 가까운 남중국 이외에도 다른 교역네트워크를 통해 남아시아 · 동남아시아 구슬을 수입하였음을 시사한다.

m-K-Ca-Al은 기원전 3-2세기부터 기원후 4세기까지 남아시아 · 동남아시아 지역에 널리 유통된 유형이다(Dussubieux et al. 2012). 현재까지 알려진 칼륨 유리 주요 제작지로는 남인도 아리카메두(Arikamedu) · 태국 반돈타펫(Ban Don Ta Phet) · 태국 카오샘케오(Khao San Kaeo) · 베트남 종카보(Giong Ca Vo) 등이 있다(표 6, 그림 7). 한국 칼륨 유리는 감청색을 내는 착색제 MnO_2 함유량이 아리카메두 출토품과 유사하다는 주장(Lee 2009)이 제기된 바 있는데, 남인도가 생산지일 가능성을 보여주고 있어 주목된다. 그러나 착색제 원료인 망간토를 남인도에서 주변 지역(예를 들어 동남아시아 태국 등)으로 수출하였을 가능성도 배제할 수 없다(박준영 2015:52).

한편, 기원전 4세기대부터 반돈타펫 · 종카보 등 동남아시아 지역의 사휜 · 동선 문화권을 중심으로 Al_2O_3가 낮은 칼륨 유리들이 생산되었다고 한다(Lankton and Dussubieux 2006:137). 마한 · 백제 영역권에서도 기원전 1세기부터 기원후 3세기대까지 육안상 청색 계열의 칼륨 유리로 보이는 구슬들이 다수 발견된다(박준영 2016a, b; 허진아 2019). 그러나 기원후 1-2세기대 동남아시아에서 칼륨->소다 유리로의 전환이 이루어지고 이후 칼륨 유리 생산 및 유통이 현저하게 감소하였다는 점을 고려하면, (제작기법 및 사용흔 등 보다 면밀한 검토가 선행되어야 하겠지만) 5-6세기대 고분에서 출토된 내동리 출토품은 누대에 걸쳐 사용된 傳世品일 가능성도 없지 않아 보인다.

다음으로 소다 유리를 살펴보자. 내동리에서는 High Alumina-Ⅰ · Plant Ash-Ⅰ · Natron-Ⅱ 세 종류가 검출되었다. 이 가운데 High

Alumina-I 즉 m-Na-Al 1 유형은 한반도에서 가장 높은 출토 비율을 보이며, 다양한 색상을 가지며 인도-태평양 유리구슬의 특징이자 대량 생산이 가능한 당겨끊기(drawn) 기법이 주류를 이룬다(박준영 2015).

High Alumina계 유리는 기원전 4세기부터 기원후 5세기 이후까지 남인도 · 스리랑카 · 동남아시아 지역에 널리 유통된 유형이다(Dussubieux et al. 2012). 특히 기원후 2세기 이후 동남아시아에서 크게 성행하였는데 사실상 한대 동아시아 해상실크로드에서 거래된 대다수의 유리구슬은 이 유형에 해당한다고 볼 수 있다. 최근에는 베트남 옥에오 출토 고알루미나계 소다 유리구슬의 제작기법과 성분조성비가 한국에서 출토된 High Alumina-I 유형 적갈색 유리구슬(200-300 CE)과 상당히 유사하다는 사실이 새롭게 밝혀지기도 하였다(김규호 외 2016).

현재까지 알려진 고알루미나계 소다 유리의 주요 제작지로는 남인도 아리카메두(Arikamedu) · 스리랑카 기리와바(Giriwaba) · 태국 클롱탐(Khlong Thom) · 태국 카오샘케오(Khao San Kaeo) · 말레이시아 쿠알라셀링싱(Kuala Selinsing) 베트남 옥에오(Oc Eo) 등이 있다(표 6, 그림 7). 최초 기원지에 대해서는 Francis(2002)의 "Arikamedu League" 즉 남인도 또는 스리랑카 출신 유리장인들이 이주하여 동남아시아에 유리제품들이 대량 생산될 수 있었다는 모델이 오랜 시간 정설로 받아들여져 왔다. 이에 따라 연구자들은 남아시아 기원의 아리카메두 유형 고알루미나계 소다 유리가 부남 왕국의 주도 하에[6] 조직적이고 일관된 교역네트워크를 통해 동아시아 전역으로 확산된 것으로 설명해왔다.

그런데 최근 LA-ICP-MS 조성분석 연구(Carter 2015; Dussubieux 2001; Dussubieux and Gratuze 2003; Dussubieux et al. 2010; Lankton

---

6) 실제로 부남은 기원후 3세기대부터 그들의 영향력을 태국-말레이 반도와 클롱 탐 · 쿠알라셀린싱 지역으로까지 확장해 나갔다.

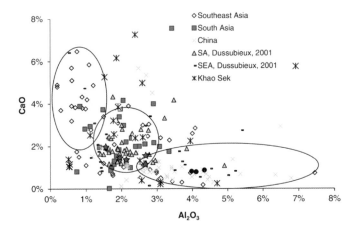

그림 8. 내동리 · 남아시아 · 동남아시아 · 남중국 출토 칼륨 유리 조성비 비교
(별 모양: 내동리 칼륨 유리, Dussubieux and Bellina 2018:33 Fig. 4 수정 후 인용)

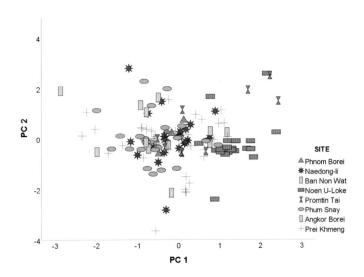

그림 9. 내동리와 동남아시아 지역의 고알루미나계 m-Na-Al 1 소다 유리 조성비 비교
(원소 MgO · Zr · Sr · Ba · U · Cs 포함, Carter 2013; Dussubieux and Bellina 2018 참고)

and Dussubieux 2013; Lankton and Dussubieux 2006, 2013; Lankton et al. 2008)가 활발하게 진행됨에 따라 동남아시아에서 발견되는 유리들 중 극히 일부만이 아리카메두 유리와 유사한 조성비를 가진다는 사실이 새롭게 밝혀지고 있다. 기존에는 알려지지 않았던 인도 북부와 남부에서 영향을 받은 여러 유리 유형을 비롯해 동남아시아 태국·캄보디아·베트남 남부 지역에 집중되는 "KSK"(m-Na-Al 3 유리)라는 특수한 유형도 발견되었다. 이는 Francis(2002)의 주장과 달리, 동남아시아에서 지역 혹은 공방마다 다른 종류의 유리를 생산한 후 다양한 교환네트워크를 통해 유통되었을 가능성을 시사한다(Carter 2016). 역사적·고고학적으로도 부남이 수도인 앙코르보레이와 옥에오 지역을 넘어 동남아시아의 모든 해안과 내륙의 도시들을 통제하였다거나 통합하였다는 즉 "통일왕국"을 이루어냈음을 보여주는 증거는 없다(Stark 2006). 그러므로 한반도에서 가장 빈번하게 확인되는 고알루미나계 유리의 생산지는 남아시아와 동남아시아 모두를 후보로 놓고 다른 유형과의 비교를 통해 그 범위를 좁혀나가는 것이 타당한 접근법이라고 생각된다.

이러한 관점에서, 내동리에서 가장 많이 확인되는 고알루미나계 소다유리의 산지 및 교환중심지를 추정해보자. <그림 9>는 동남아시아 지역의 캄보디아 앙코르보레이(Angkor Borei)·포놈보레이(Phnom Borei)·품스나이(Phum Snay)·프레이크멍(Prei Khmeng), 태국 논을럭(Noen U-Loke)·반논왓(Ban Non Wht)·프롬틴타이(Promtin Tai) 유적에서 출토된 m-Na-Al 1 유리의 산화마그네슘(MgO)·지르콘(Zr)·스트론튬(Sr)·바륨(Ba)·우라늄(U)·세슘(Cs) 함량을 내동리 것과 비교한 PCA 결과이다(Carter 2013; Dussubieux and Bellina 2018 참고). 태국 논을럭을 제외한 나머지 유적들은 대체로 유사한 조성비를 보이는데, 특히 Ban Non Wat·Phum Snay·Prei Khmeng·Promtin Tai 유적들은 내동리와

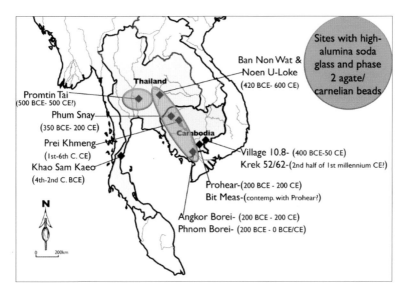

그림 10. 동남아시아 고알루미나계 m-Na-Al 1 소다 유리 출토 유적(Carter 2013:416, Fig. 9.4)

상당부분 중복되는 양상을 나타낸다.

흥미로운 점은, 내동리 출토품과 높은 유사성을 가지는 Ban Non Wat · Phum Snay · Prei Khmeng 세 유적이 모두 내륙에 위치한다는 사실이다. Carter(2013)에 따르면, 이 유적들은 해상실크로드라는 새로운 교역 네트워크가 형성되고 메콩 삼각주 엘리트들과 내륙지역의 공동체들 사이에 사회정치적 · 경제적 네트워크가 확장되는 철기시대 후기(1-500 CE) 이전까지는 장거리 구슬 교환네트워크에 적극적으로 참여하지 않았다고 한다. Phum Snay, Promtin Tai 및 Ban Non Wat 같은 유적들에서 철기시대 전기(500 BCE-1 CE)에 활발하게 유통된 칼륨 유리가 소량만 확인되기 때문이다. 당시 내륙집단들은 하향식(down-the-line) 교역을 통해 메콩 삼각주 해상교역 집단으로부터 구슬을 구매할 수 있었을 것이다(허진아 2019; Carter 2013 참고). 그리고 여러 정황상, 이들 유적에 구슬을 제공한 집단은 해상교역을 주도한 메콩 삼각주 일대 앙코르보레이(Angkor Borei)와 옥에오(Oc Eo)일 가능성이 높아 보인다(Carter 2013). 두 유적은 흙으로 만든 성벽으로 둘러싸여 있는데, 물리적 장벽을 사용하여 도시 안팎의 물품 이동을 제어하고자 하는 의도를 엿볼 수 있다. 구슬들이 유적들 간, 무덤들 간에 고르게 분포되어 있지 않다는 사실은 구슬이 당시에 누구나 소지하기 어려운 고가의 물품이자 생산과 유통·분배가 철저하게 통제되는 가치 높은 교역품이었음을 시사한다.

2. 유입경로 추정[7]

해상실크로드는 중국 남동부 광저우 지역에서 출발하여 동남아시아를 거쳐 인도 등 남아시아를 경유하여 아프리카와 이집트까지 이어지는 항로를 일컫는다(Fuxi 2009). 『漢書』에 따르면, 전한의 무제(武帝)가 통킨 만에서 시작, 말레이 반도를 통과하여 인도와 스리랑카에 이르는 해상실크로드를 처음으로 개시하였다(Xiong 2014). 사절단, 조공단 등 한왕조의 관리들뿐만 아니라 개인 여행자들 역시 이 해상교역로를 통해 왕래하였다. 이를 가능케 한 것은 기원전 111년경에 단행된 중국 영남지역(현재의 광둥성 광시·장족 자치구·하이난 성·후난성·강서성 등)과 베트남 북부 및 중부지역에 위치하였던 남월국(Nanyue Kingdom, 207—111 BCE)에 대한 대규모 정벌과 군현의 설치이다. 한왕조는 중국 남부 영남지역을 9개 군현으로 분리하여 관할하였는데, 특히 합포군(습浦, Hepu; 중국 남부 장족 자치구 北海市)에는 국제 교역항과 거점 도시를 설치하여 세계 여러 지역으로부터 유입되는 물산들을 수집, 관리, 배분토록 하였

---

7) 필자 전고 2019년 「초기철기-원삼국시대 구슬 해상교역과 환황해권 정치 경관의 변화」를 대폭 압축한 내용이다.

다. 기록에 따르면, 합포 항구에서 출발한 사절단 및 여행자들이 한나라에서 나는 비단과 금을 남아시아나 동남아시아의 구슬로 교환하였다고 한다. 합포군의 한나

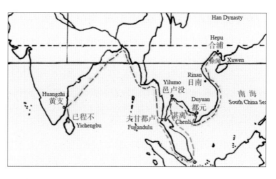

그림 11. 『漢書』에 기록된 한나라 사절단의 구슬 해상교역 경로(말레이시아는 귀항 경로에 포함, Xiong 2014)

라 무덤에서 출토된 가넷 · 아게이트 · 카넬리안 · 아메시스 구슬이나 사자 모양 호박 장신구, 로마 유리그릇 등 서역 관련 유물들은 한왕조가 인도 · 스리랑카 · 이란 고원 · 아프가니스탄 등 남아시아를 통해 로마까지 이어지는 교역 네트워크를 운영하였음을 분명하게 보여 준다.

이와 같이, 기원전 2-1세기대 동서양을 연결하는 해상실크로드가 한무제에 의해 본격적으로 운영되기 시작하면서 남아시아 · 동남아시아 · 중국 · 한반도 · 일본의 연안은 일종의 광역교류망을 형성하게 된다. 서쪽으로는 통킨만과 벵갈만을 지나 인도 남동부에 이르게 되고, 동쪽으로는 남중국해와 동중국해를 지나 한반도의 서해안과 남해안을 거쳐 일본으로 연결되는 해상교역망이 완성된다. 앞서 살펴봤듯이, 서쪽 교역로의 성격은 『漢書』 기록에 명확하게 드러나 있는데, 한나라의 금과 실크를 인도의 구슬 · 유리 · 진주 등 장신구나 보석으로 바꿔오는 것이었다(Xiong 2014). 동쪽 교역로를 통해서는 한반도와 일본으로 한나라 동경과 수입산 구슬이 유통된 것으로 보이지만(권오영 2014, 2017; 박준영 2016a, b; 허진아 2018; Chen et al. 2019; Tamura and Oga 2014; Zhangsun et al. 2017), 그 구체적 경로나 성격에 대해서는 뚜렷하게 알려진 내용이 없다.

마한·백제로의 구슬 유입과 확산은 이와 같은 동아시아 정세 속에서 전개된 해상교역의 연장선상에 있다. 기원전 3세기말-2세기초 한반도 서해안권역에 중국의 납-바륨 유리 및 환형 유리제품(璧; Bi discs)이 유입되기 시작한다. 이러한 변화는 한왕조 성립 이후에 납-바륨과 칼륨 유리 생산의 중심지가 중국 남부(광시성·광동성)로 이동하고 남중국해 해상 교역망이 활성화되는 정황과 무관하지 않을 것이다.

그런데, 기원전후를 기점으로 인도와 동남아시아의 교류가 급증하면서 부남의 옥에오와 카오샘케오 국제교역항을 중심으로 하는 소다 유리 구슬 교역이 성행하게 된다(허진아 2019b). 이에 따라 기원후 1세기대 칼륨에서 소다 유리로의 전환이 이루어지게 되고(Bellina 2014; Carter 2015) 이후 동남아시아의 국제 교역도시를 비롯해 한나라 해상실크로드에서 교역되는 주요 물품은 인도-태평양 유리구슬로 불리는 고알루미나계 소다 유리구슬로 바뀌게 된다. 이 같은 동남아시아 유리구슬 유통 변화(칼륨->소다)에 따라, 기원후 3세기부터는 인도-태평양/고알루미나계 소다 유리구슬이 한반도에 다량으로 유입되며 기원후 6세기까지 고분 부장품으로 크게 성행한다. 기원후 2세기대까지는 칼륨 구슬이 해안/평야 지역에 집중되다가, 소다 유리가 대량 유통되는 3세기대로 넘어오면서 충청 내륙지역으로까지 구슬 소비가 확대되는 것이다(허진아 2019).

한편, 중국·한반도·일본 등 동북아시아에 동남아시아산 고알루미나계 소다유리가 대량 유입되는 계기를 기원후 3세기대 이루어진 동오와 부남 간 교섭 혹은 동진·송·제·양으로 이어지는 백제와 중국 왕조 간 교류에서 찾는 견해도 있다(권오영 2017, 2019; 박준영 2016b).『晉書』에 따르면, 근초고왕은 372년 음력 1월과 6월에 동진에 사신을 보내 조공한다. 또한『日本書紀』「欽明紀」543년 백제 성왕이 부남의 물품과 노에 2명을 일본에 보냈다는 기록으로 보아, 백제와 부남 사이에 직접 혹은 간접 교섭이 이루어졌음이 분명해 보인다. 최근에는, 이 같은 백제를 둘러싼 동아시아 국제 정세에 주목하여, 4세기후엽 이후부터 해안항로상의 포구를 중심으로 백제와 왜 및 가야 사이에 활발한 교류가 이루어져 연안항로에 밝은 지역세력들(예를 들면 영암 옥야리 장동 1호분 · 함평 장고산 · 함평 장고봉 · 고창 봉덕리 고분 축조집단)이 성장하였고, 5세기중엽 이후부터는 백제와 왜의 관계가 더욱 친밀해져 왜인들이 연안항로를 이용해 영산강을 거슬러 올라와 내륙 지역집단과 교류하였을 것이라고 추정하는 연구(김낙중 2016)가 발표되기도 하였다.

이러한 관점에서 볼 때, 영산강 중하류권 특히 영암 시종면과 나주 반남면을 위시로 하는 지역은 5-6세기대에도 여전히 동아시아를 연결하는 광역교류망인 해상실크로드의 주요 거점 중 하나이자 영산강 상류권 백제 지방도시로 향하는 관문으로서, 백제와의 교류를 위해 유입되는 다양한 인적 · 물적 자원들이 이합집산하는 "경제 허브(Hub)"의 기능을 하였을 것으로 생각된다.

V. 맺음말

이상에서 살펴보았듯, 유리구슬의 생산과 유통은 동아시아 해상교역의 흐름과 밀접한 관련이 있다. 해상교역이 동아시아 전체를 아우르는 광역교류망 즉 네트워크 형성에 주요 매개로서 작용하였다면, 이 네트워크의 일원이자 환황해권 해상교역 주도권을 확보한 영암 내동리 집단의 당시 영향력은 (양직공도 방소국에 대한 기사에서도 짐작해 볼 수 있듯이, 임영진 2019) 백제나 가야를 비롯해 바다 건너 일본이나 중국에서도 무시하기 어려운 수준이었을 것이다. 바다와 강을 아우르는 고난도의 항해

술과 선박·포구·도로 등 기반시설을 포함하여 오랜 시간 국제교역을 통해 쌓아 온 인적 네트워크까지 당시 동아시아에서 영산강 해상교역 집단이 가졌을 사회경제적 위상은 상당한 수준이었을 것으로 짐작된다.

주지하듯이, 4세기 후반부터 백제의 대외교류 정책이 강화됨에 따라 해상교역이 더욱 확대되어가는 방향으로 변화해간다. 5세기대 영산강 중하류를 중심으로 방대형·원대형·전방후원분 등 다양한 고총고분이 출현하는 배경을 여기에서 찾을 수 있을 것이다(김낙중 2016; 한옥민 2019 참고). 거대한 마운드(mound)를 축조하기 위해 요구되는 대규모 노동력 동원, 사회비용 및 구조화된 시스템은 "분구"라는 형태의 영산강 고총고분이 정치권력의 지도와 통제 하에 세워진 기념비적 건축물임을 나타낸다. 그리고 아주 당연하게도 여기에 묻힌 피장자는 그 일대에서 가장 강력한 영향력을 지닌 인물이었을 것이다. 필자는 그 영향력이라는 것의 주요 원동력이 아마도 외부사회와의 오랜 교역을 통해 확립된 네트워크 즉 다양한 지역·집단과의 교역 파트너십이 아닐까 추측해본다.

끝으로, 영암 내동리 일대에 5-6세기대 방대형 분구묘를 비롯하여 마한의 전통적 묘제인 옹관이 더욱 성행하는 현상은 이 지역의 공동체가 백제의 지방사회 일원이었음에도 불구하고 해상교역 관련 정치·경제적 주도권을 여전히 유지하고 있었음을 보여주는 것이라 평가할 수 있을 것이다. 그러나 내동리 집단과 백제 중앙과의 관계를 보다 명확히 하기 위해서는, 구슬 같은 고가의 해상교역품이 국내에 유입된 후 어떻게 재분배되는지 소비 맥락에 대한 이해가 선행되어야 한다. 무령왕릉에서 가장 다양하고 많은 구슬들이 발견되었다는 사실에서도 알 수 있듯이 구슬의 국내유통 및 소비가 중앙의 통제 하에 이루어진 것인지, 아니면 내동리 같은 개별 집단의 자유로운 경제활동의 연장선에서 이루어진 것인지 보다 면밀한 검토가 요구된다.

[부기] LA-ICP-MS 성분분석과 원고에 사용된 자료 작성에 전남대학교 문화인류고고학과 대학원의 박형후·채수빈, 학부생 송원근의 도움이 있었다. 지면을 빌려 감사의 마음을 전한다.

【참고문헌】

복천박물관, 2013,『한국 선사ㆍ고대의 옥문화 연구』.

강은주, 2009,「영산강유역 단경호의 변천과 배경」,『호남고고학보』31.

강은주, 2019,「영산강 상류 마한세력의 성장과 백제」,『백제학보』29.

김규정, 2017,「호남지역 마한성립기 대외교류」,『야외고고학』29.

김낙중, 2011,「영산강유역 정치체의 성장과 변동 과정」,『백제학보』6.

김낙중, 2015,「영산강유역 제형분구묘의 등장 과정과 의미」,『백제학보』14.

김낙중, 2016,「서남해안 일대의 백제 해상교통로와 기항지 검토」,『백제학
　　　보』16.

권오영, 2014,「고대 한반도에 들어온 유리의 고고ㆍ역사학적 배경」,『한국상
　　　고사학보』85.

권오영, 2017,「한반도에 유입된 유리구슬의 변화과정과 경로-초기철기~원
　　　삼국기를 중심으로」,『호서고고학』37.

권오영, 2019,『해상 실크로드와 동아시아 고대국가』, 아시아문화연구소.

류창환, 2018,「영산강유역 출토 마구의 성격과 의미」,『중앙고고연구』25.

문안식, 2015a,「서남해지역 마한사회의 발전과 연맹체 형성-해남반도 백포
　　　만 일대를 중심으로-」,『동국사학』58.

문안식, 2015b,「남해만 연안지역 해륙세력의 성장과 제, 라의 토착사회 재
　　　편」,『용봉인문논총』47.

박준영, 2015,「한국 고대 유리구슬의 생산과 유통: 한반도 남부 자려 화학조
　　　성의 특징을 중심으로」, 한신대학교 대학원 석사학위논문.

박준영, 2016a,「한국 고대 유리구슬의 특징과 전개과정」,『중앙고고연구』
　　　100, 중앙문화재연구원.

박준영, 2016b, 「한국 고대 유리구슬의 생산과 유통에 나타난 정치사회적 맥락」, 『한국고고학보』 100, 한국고고학회.

박형열, 2013, 「호남 서남부지역 고분 출토 이중구연호의 형식과 지역성」, 『호남고고학보』 44.

서현주, 2005, 「고배의 형식과 5~6세기 영산강유역권 고분」, 『백제연구』 41.

서현주, 2007, 「영산강유역 장고분의 특징과 출현배경」, 『한국고대사연구』 47.

서현주, 2008, 「영산강유역권 3~5세기 고분 출토유물의 변천 양상」, 『호남고고학보』 28.

서현주, 2016, 「마한 토기의 지역성과 그 의미」, 『선사와 고대』 50.

서현주, 2018a, 「분주토기로 본 고대 영산강유역」, 『호서고고학』 39.

서현주, 2018b, 「토기로 본 5~6세기 복암리세력과 주변지역의 동향」, 『호남고고학보』 54.

이인숙, 2014, 「신라와 서역문물-유리를 중심으로」, 『신라고고학개론 上』.

오동선, 2009, 「나주 신촌리 9호분의 축조과정과 연대 재고」, 『한국고고학보』 67.

오동선, 2017, 「5~6세기 영산강유역권의 동향과 왜계고분의 의미」, 『백제학보』 20.

오동선, 2019, 「영산강유역권 사비기 석실의 변천과 의미」, 『한국고고학보』 112.

원해선, 2015, 「유공광구소호의 등장과 발전과정」, 『한국고고학보』 94.

이범기, 2015, 「영산강유역 고분 출토 철기 연구」, 국내박사학위논문 목포대학교 대학원.

이범기, 2019, 「고분 출토 금동관과 식리로 살펴본 마한 · 백제 · 일본과의 비교 검토」, 『지방사와 지방문화』 22-1.

임영진, 1996, 「영산강유역의 이형분구」, 『호남지역 고분의 분구』호남고고학회 제4회 학술대회 발표집.

임영진, 2019, 「양직공도 마한제국의 역사고고학적 의의」, 『중국 양직공도 마한제국』, 학연문화사.

임영진, 2020, 「삼국시대 영산강유역권 금동 위세품의 역사적 성격」, 『백제학보』31.

쯔엉 닥 치엔, 2020, 「베트남 옹관묘 문화의 몇 가지 특징」, 『고대 아시아의 독널문화』, 국립나주박물관.

최영주, 2015, 「마한 방대형, 원대형 분구묘의 등장배경」, 『백제학보』14.

최영주, 2018a, 「고고자료로 본 영산강유역 마한세력의 성장과 변동과정-백제와의 관계를 중심으로」, 『동아시아고대학』52.

최영주, 2018b, 「한국 분주토기 연구-분포 양상과 변천과정, 고분의례과정을 통해」, 『호서고고학』40.

최영주, 2019, 「고고자료로 본 고대 영산강유역과 큐슈지역과의 교류관계」, 『역사학연구』74.

한수영, 2017, 「완주 신풍유적을 중심으로 본 초기철기문화의 전개양상」, 『호남고고학보』56, 호남고고학회.

한옥민, 2018, 「영산강유역 원형분의 출현 배경과 의미」, 『야외고고학』33.

한옥민, 2019, 「영산강유역 방대형분의 출현과 축조 배경」, 『호남고고학보』62.

한옥민, 2020, 「고분자료에 보이는 마한 입주의례 성격」, 『호남고고학보』66.

허진아, 2018, 「마한 원거리 위세품 교역과 사회정치적 의미-석제 카넬리안 구슬을 중심으로」, 『호서고고학』41, 호서고고학회.

허진아, 2019, 「초기철기-원삼국시대 구슬 해상교역과 환황해권 정치 경관의 변화」, 『한국상고사학보』106, 한국상고사학회.

Bellina, B., 2003. Beads, Social Change and Interaction Between India and Southeast Asia. Antiquity 77(296):285—97.

Bellina, B., 2007. Cultural Exchange between India and Southeast Asia: Production and distribution of hard stone ornaments (VI c. BC—VI c. AD). Editions de la Maison des Sciences de l'Homme, Paris.

Bellina, B., 2014. Maritime Silk Roads'Ornament Industries: Socio-Political Practices and Cultural Transfers in the South China Sea. Cambridge Archaeological Journal 24(4):345-377.

Bellina, B., Favereau, A., Dussubieux, L., 2019. Southeast Asian early Maritime Silk Road trading polities' hinterland and the sea-nomads of the Isthmus of Kra. Journal of Anthropological Archaeology 54:102-120.

Carter, A.K., 2013. Trade, Exchange, andSocio-political Development in Iron Age (500 BC—AD 500) Mainland Southeast Asia: An Examination of Stone and GlassBeads from Cambodia and Thailand. Unpublished Ph.D. Dissertation, Department of Anthropology, University of Wisconsin-Madison.

Carter, A.K., 2015. Beads, Exchange Networks and Emerging Complexity: a Case Study from Cambodia and Thailand (500 BCE-CE 500). Camb. Archaeol. J. 25:733-757.

Carter, A.K., 2016. The Production and Exchange of Glass and Stone Beads in Southeast Asia from 500 BCE to the early second millennium CE: An assessment of the work of Peter Francis in light of recent research. Archaeol. J. in Asia 6:16-29.

Carter, A., Lankton, J., 2012. Analysis and comparison of glass beads from

Ban Non Wat And Noen U-Loke. In: Higham, C.F.W., Kijngam, A. (Eds.), The Origins of Angkor, Volume 6: The Iron Age: Summary and Conclusions. Fine Arts Department of Thailand, Bangkok, pp. 91-114.

Chen, D., Luo, W., Bai, Y., 2019. The social interaction between China and Japanese archipelago during Western Han dynasty: comparative study of bronze mirrors from Linzi and Yayoi sites. Archaeological and Anthropological Sciences 11:3449-3457.

Dussubieux, L., 2001. L'Apport de l'ablation laser couplée a l'ICP-MS à la caractérisation des verres: Application a l'étude du verre de l'océan Indien (Ph.D.) Department of Chemistry, Université d'Orléans.

Dussubieux, L., 2009. Compositional analysis of ancient glass fragments fromnorth Sumatra, Indonesia. In: Surachman, E., Perret, D. (Eds.), Histoire de Barus III: regards sur une place marchande de l'océan Indien (XII e-milieu du XVII e s.). Archipel, Paris, pp. 385-417.

Dussubieux, L., 2010. Glass material from Singapore. Archipel 80, 197-209.

Dussubieux, L. Bellina 2018

Dussubieux, L., Gratuze, B., 2010. Glass in Southeast Asia. In: Bellina, B., Bacus, E.A., Pryce, T.O., Wisseman Christie, J. (Eds.), 50 Years of Archaeology in Southeast Asia. Essays in Honour of Ian Glover. River Books, Bangkok, pp. 247-260.

Dussubieux, L., Gratuze, B., 2013. Glass in South Asia. In: Janssens, K. (Ed.), Modern Methods for Analysing Archaeological and Historic Glass. Wiley and Sons, West Sussex, pp. 397-412.

Dussubieux, L., Kanungo, A., 2013. Trace element analysis of glass from Kopia. In: Kanungo, A.K. (Ed.), Glass in Ancient India: Excavations at Kopia. Kerala Council for Historical Research, Nalanda, pp. 360-366.

Dussubieux, L., Kusimba, C.M., Gogte, V., Kusimba, S.B., Gratuze, B., Oka, R., 2008. The trading of ancient glass beads: new analytical data from South Asian and East African soda-alumina glass beads. Archaeometry 50 (5), 797-821.

Dussubieux, L., Gratuze, B., Blet-Lemarquand, M., 2010. Mineral soda alumina glass: occurrence and meaning. J. Archaeol. Sci. 37 (7), 1646-1655.

Dussubieux, L., Lankton, J.W., Bellina, B., Chaisuwan, B., 2012. Early glass trade in South and Southeast Asia: new insights from two coastal sites, Phu Khao Thong in Thailand and Arikamedu in South India. In: Tjoa-Bonatz, M., Reinecke, A., Bonatz, D. (Eds.), Crossing Borders: Selected Papers from the 13th International Conference of the European Association of Southeast Asian Archaeologists, Volume 1. NUS Press, Singapore, pp. 307-328.

Dussubieux, L., Pryce, T.O., 2016. Myanmar's role in Iron Age interaction networks linking Southeast Asia and India: Recent glass and copper-base metal exchange research from the Mission Archéologique Française au Myanmar. J. Archaeol. Sci. Rep. 5, 598-614.

Francis Jr., P., 2002. Asia's Maritime Bead Trade. 300 B.C. to the Present. University of Hawai'i Press, Honolulu.

Fuxi, G., 2009. Origin and evolution of ancient Chinese glass. In: Fuxi, G., Brill, R., Shoutun, T. (Eds.), Ancient Glass Research Along the Silk Road. World Scientific, Singapore, pp. 1-40.

Glover, I., Bellina, B., 2011. Ban Don Ta Phet and Khao Sam Keo: The Earliest Indian Contacts Re-assessed. In Early Interactions Between South and Southesat Asia. Reflections on Cross-Cultural Exchange, edited by Pierre-Yves Manguin, A. Mani, and Geoff Wade, ISEAS Publishing, Singapore.

Henderson, J., 2000, The Science and Archaeology of Materials. An Investigation of Inorganic Materials. Routledge, London.

Heo, J., 2020. Symbolic bead exchange and polity interaction in Mahan civilization (c. 100 BCE-300 CE), South Korea. Archaeological Research in Asia 23:1-12.

Lankton, J., Dussubieux, L., 2006. Early glass in Asian maritime Trade: A review and an interpretation of compositional analysis. J. Glass Stud. 48, 121-144.

Lankton, J., Dussubieux, L., 2013. Early glass in Southeast Asia. In: Janssens, K. (Ed.), Modern Methods for Analysing Archaeological and Historic Glass. Wiley and Sons, West Sussex, pp. 415-457.

Lankton, J., Dussubieux, L., Gratuze, B., 2008. Glass fromKhao SamKaeo: transferred technology for an early Southeast Asian exchange network. Bulletin de l'École française d'Extrême- Orient 93, pp. 317-351.

Lankton, J., Pongpanich, B., Gratuze, B., 2009. Chinese Han period glass cup fragments in peninsular Thailand. Paper presented at the

19th Indo Pacific Prehistory Association Congress. Indo Pacific Prehistory Association, Hanoi, Vietnam.

Lee, I., 2009. Characteristics of Early Glasses in Ancient Korea with Respect to Asia's Maritime Bead Trade. Ancient Glass Research along the Silk Road, World Scientific.

Noonsuk, W., 2005. The Significance of Peninsular Siam in the Southeast Asian Maritime World During 500 BC to AD 1000. Unpublished Masters Thesis, University of Hawaii at Manoa.

Stark, M.T., David, C.W. Sanderson, Bingham R.G., 2006. Monumentality in the Mekong: Luminescence Dating and Implications. Bulletin of the Indo-Pacific Prehistory Association 26:110-120.

Tamura, T., Oga, K., 2014. Distribution of Lead-barium Glasses in Ancient Japan. Crossroads 9:63-82.

Zhangsun, Y.Z., Liu, R.L., Jin, Z.Y., Pollard, A.M., Lu, X., Bray, P.J., Fan, A.C., Hung, F., 2017. Lead Isotope Analyses Revealed the Key Role of Chang'an In the Mirror Production and Distribution Network During the Han Danasty. Archaeometry 59(4):685-713.

Xiong, Z., 2014. The Hepu Han tombs and the maritime Silk Road of the Han Dynasty. Antiquity 88:1229-1243.

영암 옥야리 고분군의 조사성과와 활용방안

김승근 (고대문화재연구원)

Ⅰ. 머리말

Ⅱ. 영암 옥야리 고분군 조사성과

Ⅲ. 영암 옥야리 고분군의 활용방안

Ⅳ. 맺음말

Ⅰ. 머리말

영암군은 한반도 서남부의 전남의 서부지역에 위치한다. 전남 서부지역은 범 영산강 유역권으로도 설정되는 곳으로 영암군은 영산강 중·하류에 속하고, 경계는 동쪽으로는 장흥군과 강진군, 서쪽으로는 목포시와 무안군, 북쪽으로는 나주시, 남쪽으로는 해남군과 행정적 경계를 이루고 있다. 영산강은 담양군에서 발원하여 서해바다로 흘러가며, 선사에서 현재까지 의식주에 직접적인 영향을 미치고 있고, 1980년대 영산강하구둑이 건설되기 전까지는 수운의 기능을 가졌다.

이러한 기능과 함께 한반도 서남부지역이 갖는 -그 중에서도 영암군- 지정학적 위치는 다른 어느 지역보다도 중요한 위치를 점하고 있으며, 고분의 현황 등을 통해서 알 수 있다. 이 고분들의 분포 수와 규모, 분형 등을 볼 때, 고대 영암지역에는 강력했던 마한의 세력들이 자리 잡았던 주요한 지역이었음을 알 수 있다.

영암군에서는 1980년대 만수리 4호분의 발굴조사를 시작하여 최근 내동리 쌍무덤, 옥야리 고분군 등에 대한 학술조사를 진행하면서 괄목할만한 성과를 이루고 있으며, 한국 고고학계의 초미의 관심사가 되고 있다. 이와 발맞추어 우리나라의 고대 역사문화권과 그 문화권별 문화유산을 연구·조사하고 발굴·복원하여 그 역사적 가치를 조명하고, 이를 체계적으로 정비하여 그 가치를 세계적으로 알리고 지역 발전을 도모하는 것을 목적으로 한 '역사문화권 정비 등에 관한 특별법'을 지정[시행 2021. 6. 10.] [법률 제17412호, 2020. 6. 9., 제정]하여 '마한역사문화권'에 대한 관심과 중요성이 높아지고 있다.[1] 이러한 조사·연구성과가 지속되고 있음

---

1) 역사문화권 정비 등에 관한 특별법을 지정[시행 2021. 6. 10.] [법률 제17412호, 2020. 6. 9., 제정]고대 역사문화권역을 구분(고구려, 백제, 신라, 가야, 마한, 탐라

에도 다른 지역에 비하면 그 중요성이 대중적인 인식이 약하고 홍보되지 못하고 있다.

따라서 여기서는 영암지역의 마한 고분을 대상으로 문화유산 활용의 개념을 정립하고, 연암군의 문화유산 현상과 활용사례 등을 검토하여, 옥야리 고분군의 활용에 대한 제언과 마한고분의 가치를 환기하고자 한다.[2]

II. 영암 옥야리 고분군 조사성과

1. 영산강유역 고분의 연구성과와 영암군의 고분 문화재

1) 연구성과

고분(古墳)이란 글자 그대로 옛 무덤을 뜻하기도 하지만, 고고학에서는 개념적으로 엄격히 한정하여 특정 시기의 무덤양식을 지칭한다. 넓은 의미에서 고분이란 과거 사회에서 죽은 이를 위해 수행된 매장의례의 행위가 물질적인 증거로 남은 것이라고 할 수 있다. 단순히 무덤구덩이를 파고 시신을 매장하는 간단한 무덤부터 지배층의 거대한 구조물까지 다

역사문화권)하고 각 문화권별 문화유산을 연구·조사, 발굴·복원하여 역사적 가치를 조명, 이를 체계적으로 정비하여 그 가치를 세계적으로 알리고 지역 발전을 도모하는 것을 목적으로 한다.

2) 이글에서 활용대상이 되는 문화재의 범주는 '협의개념'에 해당하는 문화재이다. 하지만 종래 유·무형의 재화(財貨) 또는 자산(資産)적 '가치(value)' 중심의 문화재에서 '의미(signification)'중심의 문화유산으로 개념이 변화되는 추세에 있어(문화재청 2007) '광의개념'의 문화유산이나 문화자원에 범주에서도 활용과 가치를 바라보고자 한다.

양한 규모를 지닌다. 또한 여기에는 매장시설(埋葬施設), 봉분(封墳), 묘역시설(墓域施設)과 같은 다양한 형태와 구조의 시설이 존재한다(국립문화재연구소 2002)

영산강유역의 고분에 대한 조사는 1980년 이후에 영암 시종면 일대의 옹관고분이 조사되면서 본격화되었으며, 영산강유역만의 특징적인 옹관고분의 중심지가 영암과 나주일대임이 밝혀졌다. 옹관고분에 대한 고고학적 연구는 이 지역의 독특한 무덤양식으로 3~5세기 후반까지 대형옹관묘가 축조되었던 견해(성낙준 1983)가 제시된 이후 본격적으로 진행되었다. 영암지역의 옹관고분이 집중적으로 조사되면서 영산강유역 옹관묘에 대한 관심을 불러 일으켰다(서성훈 1987 · 1989). 옹관고분의 변천을 통한 3세기 중엽~5세기 후반까지 변화되는 대형옹관묘의 편년안이 제시되었고(이정호 1996a; 유희도 1997; 정기진 2000; 오동선 2008), 고고학적 성과와 문헌사적 연구를 통하여 영산강유역 고대사회를 '옹관고분 사회'로 인식하고, 역사적 실체에 대해 접근하였다(강봉룡 1999a). 이후 옹관고분의 발생 배경과 성격 등에 대한 연구(강봉룡 1999b; 성낙준 2000; 김낙중 2004; 이영철 2004; 홍보식 2005; 최영주 2018) 뿐만 아니라 제작과 유통에 대한 연구 등이 이루어지고 있다.

옹관고분의 중심권역이 영암 시종지역에서 나주 반남지역으로 이동되었을 것이라는 연구결과가(성낙준 1991) 일반적으로 받아들여졌으나, 최근 영암 내동리 쌍무덤 조사결과로 보아서 영암 시종지역과 나주 반남지역에 6세기를 전후한 이후에도 동등한 세력이 존재한 것으로 보았다(이범기 2021).

전남지역 석실분의 성격과 수용과정은 석실분이 옹관고분의 특징을 잇고 있다는 점에서 옹관묘 중심권의 석실분은 백제에 흡수된 토착세력의 것이고 이외의 지역은 백제에서 파견한 관리의 무덤으로 보았다. (이영문 1991) 한편, 한강유역에서 내려온 백제문화의 영향으로 4세기 후반 이후 크게 발전하였으나 5세기 후반에 이르러 남천(南遷)한 백제가 지방통합체제를 강화시키면서 묘제에 변화를 일으켜 대형옹관묘가 석실분으로 변화되었다는 견해가 있으며, 나아가 대형옹관묘의 존재는 재지세력의 것으로 백제와의 관계 속에서 조영되었고, 석실분의 등장을 백제 지방통치의 한 형태로 파악하였다. (성낙준 1993, 1996)

그리고 이 지역 토착사회가 옹관고분 후기부터 이미 백제왕실을 정점으로 하는 사회질서 속에 포함되었으며 이러한 과정에서 석실분이 채용되었다는 견해도 있었다. (이정호 1996b) 이처럼 석실분의 등장을 백제의 영향에 의해 만들어진 것으로 보는 견해가 일반적이다. 하지만 석실분의 수용을 옹관묘와 석실분집단 간에 무력적인 충돌 없이 평화적인 제휴 하에 이루어졌고, (임영진 1992) 영산강유역의 석실분을 비백제계와 백제계로 분류하고, 비백제계인 영산강식과 남해안식 석실분은 백제와 무관하다고 보았다(임영진 1997).

이와 같은 흐름 속에서 최근 마한고분을 바라보는 입장, 특히 4~6세기대 영산강유역의 분구묘는 주구의 유무, 지상매장, 전용옹관 사용, 추가장에 의한 다장(多葬)의 매장방식, 수직적·수평적인 분구확장, 수묘 축조 등의 특징을 보이고 있다. 여기서 주목되는 것은 '다장(多葬)'이라고 할 수 있는데, (임영진 2010, 김낙중 2014, 이문형 2020) 분구묘 사회는 노동집약적인 농업경제를 기반으로 하는 가족 중심의 혈연공동체 사회이기 때문으로 보고 있으며, (임영진 2020) 대형옹관의 성행은 대형옹관 제작의 기술적 요소, 제작비용이 적은 경제적 요소, 추가장에 의한 가족장이 분구 내에서 지속적으로 이루어지면서 목관, 목곽이 부패하여 시신훼손의 방지를 목적으로 옹관을 사용하는 문화적 요소를 배경으로 성장하게 되었다. (임영진 2017) 또한, 백제의 진출과 연관지어 나타나는 석실묘,

석곽묘와 같은 묘제의 등장, 금동관모, 금동신발(飾履), 중국제 자기류 등의 위세품과 백제계 토기류이다.

2) 영암군의 문화재 및 고분 현황

영암군의 문화재는 주로 역사시대와 관련된 것으로 월출산일대에 위치하고 있다. 국가지정문화재는 도갑사 해탈문(국보 제50호), 월출산 마애여래좌상(국보 제144호) 국보 2건, 최덕지 초상 및 유지초본(보물 제594호), 월출산 용암사지 삼층석탑(보물 제1283호) 등 보물 10건, 구림리 요지(사적 제338호) 사전 1건, 월곡리 느티나무(천연기념물 제283호) 천연기념물 1건, 삼성당 고택(국가민속문화재 제164호) 국가민속문화재 1건, 죽정마을 옛 담장(국가등록문화재 제368호) 국가등록문화재 1건이 있다.

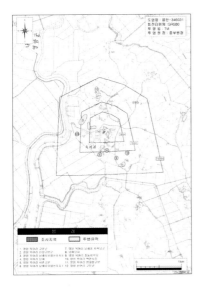

도면 1. 옥야리 고분군 주변유적

도면 2. 옥야리 고분군 일대 1918년 지도

지방지정문화재는 전라남도 유형문화재 10건, 무형문화재 1건, 기념물 20건, 민속문화재 8건, 문화재자료 17건이 있다. 이 가운데 고분군은 내동리 쌍무덤(기념물 제83호), 옥야리 방대형고분(기념물 제84호) 등 기념물 5건과 신연리 고분군(문화재자료 제139호), 옥야리 고분군(문화재자료 제140호) 등 문화재자료 3건에 집중되고 있다.

영암지역은 나주와 함께 고분군이 다수 분포하고 있으며 이에 많은 조사가 이루어져 왔다. 지표조사를 통해 알려진 수는 모두 49개소이며, 이 중 시종면 일대에만 29개 군이 밀집되어 분포한다(표 1). 발굴조사가 된 고분은 내동리 초분골 고분(국립광주박물관 1986), 내동리 옹관묘(경희대학교박물관 1974), 와우리 옹관묘(국립광주박물관 1989), 태간리 자라봉고분(한국정신문화연구원 1992; 대한문화재연구원 2015), 만수리 고분군(국립광주박물관 1984), 만수리 4호분(국립광주박물관 1984), 신연리 9호분(국립광주박물관 1993), 장동리 방대형고분(국립나주문화재연구소 2012), 내동리 쌍무덤(전라남도 문화관광재단 전남문화재연구소 2019·2020·2021), 옥야리 고분(목포대학교박물관 1991·2000; 고대문화재연구원 2021) 등이 있다.

표 1. 영암군의 마한 고분유적 조사현황(전남의 마한 분묘유적 2020, 참고)

연번	유적명	조사유형 (조사연도)	분구/매장시설 현황	조사기관
1	내동리 초분골고분	지표(1979) 발굴(1985)	1호분: 옹관묘5, 토광묘1 외 2호분: 옹관묘흔적1, 토광묘2	국립광주박물관
2	내동리 쌍무덤	지표(1986) 고분측량(2000) 시굴(2018) 발굴(2019~현재)	고분 4기(1기 훼손) 1호분: 석실2, 석곽2, 옹관2	전남문화재연구소
3	내동리 옹관	긴급수습(1980)	옹관묘1	국립광주박물관
4	봉소리 진등 석실고분군	지표(1985)	고분 2기	국립광주박물관

5	와우리 옹관묘	수습(1986) 발굴(1986)	'가·나'고분군	국립광주박물관
6	와우리 서리매리고분군	수습(1985)	고분 2기(옹관묘 1기 수습)	국립광주박물관
7	월송리 송산고분	현지답사(1985)	고분 2기(옹관묘 1기 수습)	국립광주박물관
8	태간리 자라봉고분	발굴(1991) 발굴(2011) 발굴(2015)	고분 1기(횡혈식석실 1기, 옹관묘1기)	1차:정신문화연구원 2·3차:대한문화재연구원
9	태간리 일곱뫼고분군	지표(1985)	고분 4~5기(옹관묘 1기 수습)	국립광주박물관
10	만수리 고분군 - 만수리 4호분	지표(1979) 발굴(1981) 발굴(1982) 발굴(1989-4호분)	고분 2기(옹관묘 2기, 토광묘 1기) -4호분: 봉토 내·외 매장시설 15기, 목관토광묘, 목곽토광묘, 옹관묘	국립광주박물관
12	신연리 고분군 - 신연리 9호분	발굴(1991-9호분)	고분 15기중 1기 발굴(옹관묘 4기, 목곽토광묘2)	국립광주박물관
13	신연리 연소고분	지표(1986, 1999, 2011) 발굴(2015)	고분 1기(옹관묘 1)	전남문화재연구소
14	옥야리 방대형고분	긴급발굴(2009) 발굴(2010~2011) 발굴(2013)	고분 1기(횡구식 석실묘1, 횡구식 석곽묘1, 옹관묘4, 목관묘1 등)	국립나주문화재연구소
15	옥야리 고분군	지표(1985) 발굴(1989~1990) 시·발굴(1999) 시·발굴(2021)	지표조사:28기 고분 분포 1차조사:고분 2기(옹관묘 6기 등) 2차조사:고분 3기(17~19호분 주구조사) 3차조사:고분 3기(17~19호 분구조사, 19호분 발굴조사)	목포대학교박물관 고대문화재연구원
16	옥야리 신산고분군	지표(1985) 수습(1985)	고분 5기, 4호분 옹관묘 1기 수습조사	국립광주박물관
17	갈곡리고분	지표(2011) 시굴(2014)	고분 2기, 1기 시굴조사	국립나주문화재연구소
18	양계리 금동고분군	수습(1985)	고분 5기, 1호분 옹관묘 3기 수습조사	국립광주박물관
19	수산리 조감고분	수습(1985)	고분 3기, 옹관묘 1기 수습, 석실묘 1기조사	국립광주박물관
20	금계리유적	지표(1996) 시굴(2002) 발굴(2001~2002)	주구토광묘 26기, 토광묘 5기, 옹관묘 10기	목포대학교박물관
21	선황리유적	지표(1996) 시굴(2002) 발굴(2001~2002)	주거지 35기, 지상건물지 4기, 옹관묘 1기 등	목포대학교박물관
22	선황리 계양 옹관묘	지표(1985)	옹관묘 3기 수습	국립광주박물관 목포대학교박물관

2. 영암 옥야리 고분군의 조사 성과

옥야리 고분군은 목포대학교박물관에서 실시한 『영암군의 문화유적』에서 19기의 고분이 발견되어 처음으로 영암 옥야리 고분군으로 명명되었다.(목포대학교박물관 1986) 1990년에는 6호분과 14호분이 발굴조사되었고, 모두 주구가 확인되어 분구 주변에 주구를 돌리는 것이 영산강유역 옹관고분의 일반적인 양식인 것으로 밝혀졌다. 또한, 당초 고분이 19기에서 9기가 추가조사되어 총 28기가 확인되어 그 중요성이 더욱 강조되어왔다.(목포대학교박물관 1991)[3]

6호분은 분구가 남동-북서방향의 장타원형으로 규모는 약 30×25m이고, 높이 2.5m이나 훼손으로 정확한 규모는 확인할 수 없었다. 주구는 너비 2.6~6.6m, 깊이 1.35~1.65m로 동쪽에서 시작하여 봉분의 중심부인 남쪽(2Tr.)에서 경사가 심하고 가장 깊게 형성되었고, 서쪽으로 가며 경사가 완만하고 깊이는 얕아지면서 사라지는 양상을 한다. 매장시설은 옹관이 4기 조사되었는데, 대체로 분구 내에 지상식으로 시설된 다장의 매장방식을 한다.

반면, 14호분은 분구의 형태가 원형에 가깝고 규모도 직경 11m, 높이 1.7m 이다. 주구도 원형으로 확인되며, 너비 1.5m 내외, 깊이 50㎝ 내외이나 일정하지 않다. 매장시설은 분구의 중앙부에 기반층을 일부 파고 옹관 1기를 단장(單葬)하였고, 후대 주구가 메워지고 추가 매장한 옹관 1기를 확인하였다. 분구중앙부에 하나의 옹관을 안치한 후 봉토를 쌓은 소형

---

3) 옥야리 고분군의 인근 대나무 숲에도 분구로 보이는 지형이 여럿 확인되고 있어 기존 28기 보다 많은 수의 고분이 존재할 가능성이 있다. 목포대학교박물관(1999)에 의해 조사된 17-1호분은 고분이 아니고 근래 가옥의 증·건축 과정에서 폐기된 흙과 석재의 부산물로 확인되었다.

단장분의 특징을 지닌다.

표 2. 영암 옥야리 고분군 조사현황

유적 호수	분구 (길이×너비×높이m)	주구(너비, 깊이m)	매장시설/출토유물	조사기관 (조사유형)
6호분	- 형태: 장타원형 - 규모: 30×25×2.5	- 2.6~6.6, 1.35~1.65m 전체적인 윤곽 확인 자연경사면을 따라 축조	옹관묘 4기 1, 2호 유실 심함 3, 4호 'U'자형 전용옹관 출토유물: 광구호, 옥류 (3옹), 개, 양이부호, 유 공광구소호(기타)	목포대학교박물관 1991(발굴)
14호분	- 형태: 원형 - 규모: 11×11×1.7	1.5, 0.5m 주구형태 원형 자연경사면을 따라 축조	옹관묘 2기 1호: 'U'자형 전용옹관 2호: 주구내부, 단옹식 출토유물: 호, 도자, 옥류 (1옹), 옥류(2옹)	목포대학교박물관 1991(발굴)
17호분	형태: 장방형 규모: 16.1×13.7×1.8	1~2.7, 0.40~0.63m 단면 완만한 'U'자형 출토유물: 토기 구연부, 동체부, 파수 등	옹관묘 3기 매납토기 4 'U'자형 전용옹관	목포대학교박물관 1999(시굴) 고대문화재연구원 2021(시굴)
18호분	형태: 장방형 규모: 12.85×10.84×2.0	2.8, 0.6m 19호분 주구와 중복 先 출토유물: 개배, 토기 구 연부, 동체부, 옹관편 등	옹관묘 1기 매납토기 2 'U'자형 전용옹관	목포대학교박물관 1999(시굴) 고대문화재연구원 2021(시굴)
19호분	형태: 장방형 규모: 13.3×11.6×1.9	1.3~2.6, 0.36~0.6m 18호분 주구와 중복 後 출토유물: 토기 뚜껑, 동 체부, 토제품 등	석곽묘 1기 옹관묘 3기 매납토기 2 출토유물: 직구소호, 단 경호, 옥류(석곽묘), 청자 잔, 토기잔, 양이부호, 단 경호, 도자, 옥류(2옹)	목포대학교박물관 1999(시굴) 고대문화재연구원 2021(시·발굴)

* 17-1호분으로 명명한 것은 고분 아님(목포대학교박물관 1999).

옥야리 고분군의 정비에 앞서 17~19호분의 주구를 중심으로 한 시굴
조사를 실시하였다. 평면형태가 방형인 주구를 확인하게 되었으며, 18호
분(先)와 19호분(後) 주구의 중복관계, 주구 내부 최하층에서 출토된 유
물을 통해서 축조시기는 4세기후반~5세기경으로 판단하였다.(목포대학

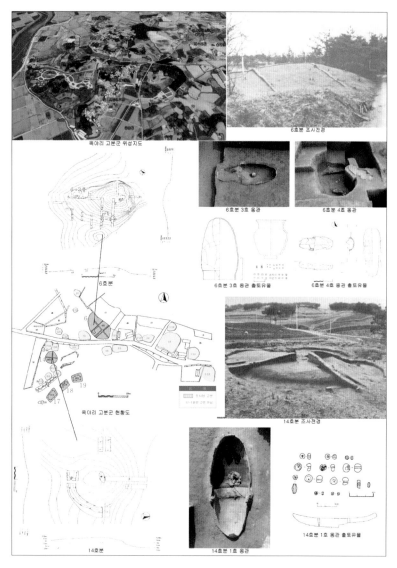

도면 3. 영암 옥야리 고분군 6호분과 14호분 조사현황

교박물관 1999)

최근 영암군의 적극적 지원 아래에 본 연구원에서는 옥야리 고분군에 대한 조사를 실시하게 되었고, 주구 조사 정도만 이루어진 17~19호분에 대한 전체적인 양상을 파악할 필요성을 절감하고, 분구를 중심으로 하는 시·발굴조사를 실시하였다. 조사결과, 분구 내 매장시설과 성토방식과 매장 의례의 일면 등을 확인하였다. 17호분에서는 옹관 3기와 매납토기 4기 등이 확인되었고, 18호분에서는 옹관 1기와 매납토기 2기 등이 확인되었으며, 19호분에서는 석곽묘 1기와 옹관묘 3기, 매납토기 등이 확인되었고, 매납토기는 옹관일 가능성이 있다. 조사현황은 다음의 표와 같다.

표 3. 영암 옥야리 고분군 17~19호분 조사현황

유적 호수	매장시설	규모cm 길이×너비×(높이/깊이)	장축방향	출토유물	조사유형
17호분	1호 옹관묘	분구 성토층 깊이 5cm 노출	동-서	부옹	시굴
	2호 옹관묘	분구 성토층 깊이 50cm 노출	남동-북서	부옹	〃
	3호 옹관묘	76×95 노출	남동-북서	주옹	〃
18호분	1호 옹관묘	110×63 노출	남동-북서	주옹	〃
19호분	1호 석곽묘	250×110×85	남동-북서	內 : 직구소호 1, 옥류, 꺾쇠 外 : 단경호 1	시·발굴
	1호 옹관묘	55?×64×20	남동-북서	주옹	〃
	2호 옹관묘	255×94	남동-북서	內 : 청자잔 1, 토기잔 1, 양이부호 1, 도자 1, 옥류 外 : 단경호 2, 배 2	〃
	3호 옹관묘	70×40	남동-북서	단경호 2	〃

이번에 조사된 17~19호분의 주요한 조사성과는 매장주체부의 확인과

분형 등이 확인됨으로써 옥야리고분군의 축조집단의 성격이 보다 명쾌하게 드러나기 시작하였다는 점이다. 또한 조사단계이기는 하지만 분형이 방대형분의 형태를 띠고 있으면서 17호분과 18호분은 옹관묘를 매장주체부로 하고, 19호분은 석곽묘를 매장주체부로 하면서 주변에 5기 미만의 옹관묘 등이 추가되는 양상을 보이고 있다. 더구나 19호분의 경우는 석곽묘를 매장주체부로 하는데 2호 옹관묘에서 쌍무덤 출토품과 동일한 청자 잔을 부장하고 있어 축조집단의 위상을 짐작할 수 있다.

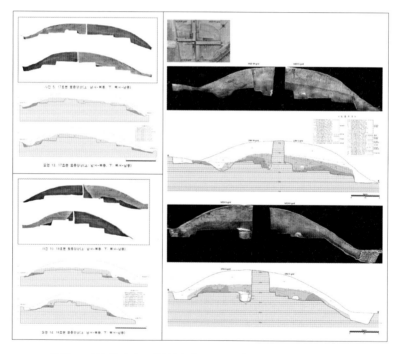

도면 4. 영암 옥야리 17호분(좌상) · 18호분(좌하) · 19호분(우) 토층

분구 축조단계는 4단계 정도로 구분되는데 19호분의 분구를 통하여 살펴본다. I 단계는 고분의 입지선정과 이에 따른 구지표의 정지가 주된 목

적이며, 분구나 매장주체시설 등의 축조에 앞서 계획이 구상되는 단계라 할 수 있다. 2단계는 분구중앙의 석곽이 시설되는 곳과 주구를 굴착하여 분구가장자리를 따라 평탄하게 기초부를 조성하였다.[4] 이 층은 마치 복발형성토층과 유사한 단면형태로 보이며, 주로 갈회색사질점토(구지표), 등색사질점토층을 굴착해 성토하였기 때문에 두 토양이 혼합되거나 번갈아가며 층층이 쌓인 양상이다. 일부 단면의 토층에서 석곽의 묘광선과 묘광의 경계를 이루는 부분에 토괴와 같은 성토재가 사용되기도 하였다. 3단계는 매장주체부인 석곽을 시설하고 석곽 상부를 덮고 분구를 성토하는 단계이다. 4단계는 분구의 피복이 이루어지는 단계이며, 이후 다른 매장시설이 추가장되어 형성된 층이 확인되었다.

석곽묘는 전술한 축조단계와 같이 구지표와 기반층을 약 50~70㎝ 굴착하여 묘광을 조성하는 동시에 묘광 주변부로 성토가 이루어진 것으로 판단된다. 석곽묘의 개석은 성토층 깊이 75㎝(현 표토층 깊이 225㎝)에서 확인되며, 석곽의 규모는 길이 250㎝, 너비 110㎝, 높이 85㎝이고, 석곽내부는 길이 220㎝, 너비 71~80㎝, 높이 66㎝이다. 장축방향은 남동-북서 방향으로 주변에 위치하는 옹관묘와 대체로 동일한 방향이다. 벽석과 개석은 판석을 이용하였으며, 단면형태는 바닥이 넓고 천장부가 좁아지는 제형을 한다. 개석은 모두 3매로 석곽의 장축방향과 직교하게 배치되었다. 바닥은 시설 없이 기반층을 평탄하게 정지해 이용하였다. 유물은 석곽내부에서 직구소호, 옥류, 꺽쇠가 확인되고, 석곽외부 묘도의 복토층에서 단경호 1점이 출토되었다.

1호 옹관묘는 분구의 남서방향 기준 둑에 걸쳐 위치하고 외면에 격자

---

4) 19호분 석곽은 도면상에서 분구의 중앙부보다 다소 서쪽으로 치우쳐 위치한다. 서쪽에서 동쪽으로 낮아지는 지형이기 때문에 석곽이 위치하는 곳은 분구 정상의 중앙부로 체감된다.

타날된 'U'자형 전용옹관으로 주옹의 동체와 저부가 노출된 상태이다. 노출된 옹관의 규모는 길이 55㎝, 너비 64㎝이다. 부옹(또는 막음시설)은 기준 둑이 위치하여 확인할 수 없었다. 석곽묘와 약 150㎝ 떨어져있으며 토층상 석곽보다 후행한 것으로 판단된다. 묘광은 경사면 하단부가 결실된 상태로 전체길이를 알 수 없으나 규모는 길이 180㎝ 이상, 너비 200㎝, 깊이 42㎝이다.

2호 옹관은 'U'자형 전용옹관을 이용해 분구성토층과 일부 구지표층을 굴착하여 안치하였으며, 규모는 길이 255㎝, 너비 94㎝이고, 장축방향은 남동-북서방향이다. 경사면 상단부에 주옹, 하단부에 부옹을 배치하고 합구부를 황등색·황백색점토로 밀봉하였다. 부옹과 3호 옹관이 위치하는 경사면의 하단부로 묘광선과 이어진 묘도의 복토층이 길게 형성되었다. 유물은 주옹 내부에서 청자잔, 토기잔, 양이부호, 도자와 다수의 옥이 출토되었으며, 부옹이 위치하는 묘광에서 단경호+배가 세트를 이루어 2개체 확인되었다. 또한, 옹관 내부에서 치아, 골반, 대퇴골 등의 인골이 확인되어 옹관고분의 주인에 대한 관심이 높아지고 있다.

3호 옹관묘는 단경호를 이용한 대용옹관으로 2호 옹관이 위치한 묘광을 재굴착하여 안치되었다. 묘광의 형태는 타원형으로 크기는 길이 120㎝, 너비 90㎝이고, 합구된 옹관의 규모는 길이 70㎝, 너비 40㎝이다. 옹관의 결합을 위해 부옹의 구연부를 제거하였으며, 황색점토를 사용해 합구부와 부옹의 전면을 밀봉하였다.

옥야리 19호분은 내동리 쌍무덤의 축소판이라 할 수 있을 정도로 유사성이 높으며, 본 대회 발표 주제 중 하나에 해당되므로 여기서는 언급하지 않겠다. 무안 동암리 신기고분 일부 유서성이 엿보이는데 무안 신기고분은 해안가와 인접한 저평한 구릉지에 위치하고 있다. 삼국시대 고분으로 석곽묘 1기, 옹관묘 1기가 확인되어 기본적으로 다장을 하는 고분이

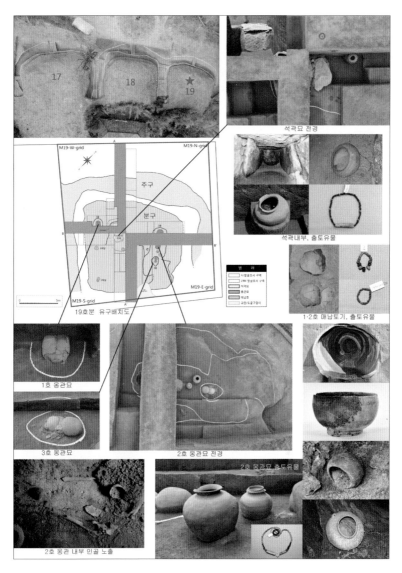

도면 5. 영암 옥야리 19호분

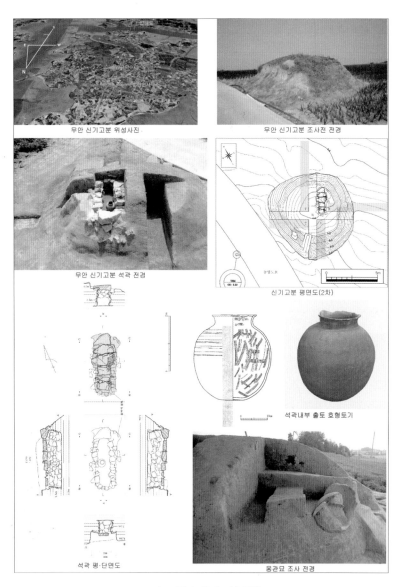

무안 신기고분 위성사진

무안 신기고분 조사전 전경

무안 신기고분 석곽 전경

신기고분 평면도(2차)

석곽내부 출토 호형토기

석곽 평·단면도

옹관묘 조사 전경

도면 6. 무안 신기고분 현황

옥야리 19호분 2호 옹관묘(청자잔 高 5.0cm, 口徑 8.3cm)

영암 내동리 쌍무덤
(청자잔 高 5.2cm, 口徑 10.6cm)

공주 무령왕릉(백자잔 高 4.5cm)

공주 수촌리
(청자잔 高 4.3cm, 口徑 8.6cm)

천안 용원리
(청자완 高 5.5cm, 口徑 9.8)

천안 용원리
(청자연판문발 高 9.0cm, 口徑 16.4cm)

부산 복천동(청자잔 高 6.3cm)

도면 7. 중국 육조시대 청자잔 출토사례

다.5) 석곽의 축조는 할석을 이용해 장벽과 단벽을 번갈아 가며 모줄임하여 벽석의 상단부가 최대로 내경하게 쌓아올렸으며, 이후 편평한 대형할석재 개석을 북에서 남쪽순서로 덮었다. 바닥석은 확인되지 않는다. 개석의 빈공간은 소형할석으로 메꾸고, 회백색점토를 사용하여 석곽 내·외부의 벽석사이와 개석간의 빈 공간을 메워 밀봉하였다. 유물은 석곽묘 개석의 상부 중앙에서 인골 1구가 노출되었고, 석곽내부에서 호형토기 1점과 관옥(부스러기)이 확인되었다. 옹관묘는 분구의 남서쪽에 위치하고, 생토층을 'U'자형에 가깝게 굴착한 후 옹관을 안치하고 성토하였다. 옹관의 규모는 잔존길이 47㎝, 너비 61㎝로 잔존하는 저부로 볼 때 'U'자형 몸체를 가지고 있었을 것으로 판단된다. 내부에서 회청색경질토기편이 출토되었다. 고분의 축조연대는 석곽묘 내부의 출토된 호형토기, 분구에서 조사된 옹관 등을 종합하여 5세기 중·후반에 재지계에 의해 축조된 것으로 판단하고 있다.(목포대학교박물관 2011)

2호 옹관은 형태로 보아 가까이 영암 내동리 1호 옹관, 나주 대안리 방두 2·3호, 나주 화정리 마산 3-1호, 나주 신촌리 9호분 을관과 같이 5세기대(성행기)의 영암, 나주지역에서 확인되는 전용옹관과 유사한 형태를 지닌다. 2호 옹관의 출토된 유물 중에서 특히, 중국 육조시대 청자잔 1점은 옹관에서 나온 처음 사례이다. 비슷한 시기 유사한 형태의 청자 잔이 출토된 유적은 가까이 영암 내동리 쌍무덤 1호 석실이 있고, 공주 수촌리 4호분, 천안 용원리고분, 부산 복천동고분이 있다. 백제 중앙 또는 중국과의 관계를 살필 수 있는 자료로 판단된다.

---

5) 신기고분 내에서 조선시대 토광묘 1기도 확인되었다.

Ⅲ. 영암 옥야리 고분군의 활용방안

1. 문화재 활용의 개념과 유형

근래의 문화재 활용 경향을 종합하면, 문화재 활용이란 문화재를 보유하고 있다는 자체만으로 심리적 만족을 얻고 관람하고 감상하는 일에서 국가의 위상을 높이는 일에 이르기까지 영역, 효과, 목적, 방법이 매우 다양해지고 있다. 따라서 이런 활용경향과 환경변화 등을 포괄하는 문화재 활용은 '문화재로부터 긍정적 효과 또는 영향을 얻는 모든 일'로 정의할 수 있으며, 특별한 행위를 해야만 문화재를 활용하는 것만이 아니라, 보존하고 계승하는 것 자체가 보호인 동시에 활용이라는 것을 말하고 있다. (류호철 2013)

문화재에 대한 관심이 높아지고 문화재가 국가의 문화적 정체성의 핵심이자 지역의 경제, 사회, 문화적 성장을 위한 자원(resource)으로 인식되며, 각 지역의 시민단체나 지방자치단체에서 지역사회의 활성화를 도모하고자 각종 행사와 축제를 만들고 정부차원에서도 우수축제나 문화제에 대한 지원을 적극협조하고 있다. 또한 문화정책 전반을 이끄는 문화재청에서도 문화재활용을 인식하고, 지역문화재를 널리 알리고 활용하기 위해 힘쓰고 있다. (문화재청 2007; 2019; 2020; 2021)

이에 문화재청은 『문화재 활용을 위한 정책기반 조성연구』와 『문화재 활용 가이드북』에서 문화재의 활용목적에 따른 구분하였다. 그리고 『문화재 유형별 활용 길라잡이』에서 대상 문화재의 성격, 종류에 따라 유교문화재형, 전통마을형, 유적지형 등으로 구분하였고, 제공자의 서비스 목표를 기준으로 오락형, 교육형, 감상형으로 구분하였다. 또 소비자의 향유형태에 따라 체류형, 관광형, 답사형, 참여형의 유형을 나누어 정리하고 개발 방향에 대한 구체적인 프로그램을 제시하고 있다.

하지만 이 유형분류에 모호한 점이 많다. 예를 들어, 활용목적에 상품화는 산업화에 포함되는 의미를 지니거나 대상문화재를 유형별로 나눈 점에서도 배타성이 명확하지 않기 때문에 유형분류의 기준이 되기 어렵다.

한편, 확장된 활용 개념, 기존 분류의 오류 등을 고려하여 문화재의 의미 있는 활용 유형 분류안을 재설정하여 목적, 형태, 방식을 기준으로 유형을 나눈 류호철의 분류안(2014)도 있는데, 기존의 분류안의 유형 간에 중첩되는 부분을 지양하고 서로 배타성을 확보하고 있기 때문에 활용의 체계성을 확보하고, 효율성을 높이기에 적합하다.

따라서 이와 같은 유형분류에 따라 어떤 방향으로 고분을 활용할지를 기본적인 현안으로 설정하고 접근하는 것이 중요하다. 류호철의 분류안을 참고하면 대부분 문화재의 활용목적에는 기본적으로 문화재향유, 교육적, 학술적 내용을 담고 있다. 예를 들어 분구가 남아있는 대형고분군의 경관, 출토된 유물에서 느끼는 가치와 아름다움이 있고, 과거 역사 · 예술 · 기술의 정보는 교육적, 학술적 가치를 내재하고 있다. 여기에 추가적으로 지역적, 경제적, 세계적인 목적을 연결하여 목표를 삼아 적절한 활용 형태와 방식을 선정해야 할 것이다.

2. 관리 현황 및 활용 사례

영암군에는 49건 187기의 고분들이 산재되어 있으며, 시종면에 29개소의 고분군이 집중적으로 분포한다(표 4, 도면 8). 내동리 고분군 · 와우리 옹관묘 · 신연리 고분군 · 자라봉 고분 · 옥야리 방대형 고분 등에 대한 발굴조사를 통해 축조세력과 피장자의 성격이 마한과 관련된 것으로 확인되었다. 최근 역사문화권 정비 등에 관한 특별법에 따라 향후 탄력성이 높아질 것을 기대한다.

표 4. 영암군 소재 고분 현황(영암 내동리 쌍무덤 조사성과 2018 일부 수정)

연번	유적명	소재지	조사유형	연번	유적명	소재지	조사유형
1	망호리 후정고분	영암읍 망호리 195-1		26	만수리 고분군	시종면 만수리 산117-10	발굴
2	송평리 신기고분군A	영암읍 송평리 508-2		27	태간리 일곱뫼고분군	시종면 태간리 657-1	수습
3	송평리 신기고분군B	영암읍 송평리 904-11		28	태간리 구송고분군	시종면 태간리 산4-2	
4	송평리 신정고분군	영암읍 송평리 산75-2		29	태간리 자라봉고분	시종면 태간리 747	발굴
5	금강리 금산고분군	덕진면 금강리 864-8		30	금지리 달지고분군	시종면 금지리 산94-2	
6	안노리 금대고분	금정면 안노리 금대		31	금지리 본촌고분군	시종면 금지리 900-3	
7	모산리 구암고분	신북면 모산리 산413		32	금지리 송내고분군	시종면 금지리 산68-4	
8	갈곡리 고분군	신북면 갈곡리 산31-101, 산31-54(박망동)		33	갈마동 고분	시종면 신흥리 488-7	
9	양계리 금동고분군	신북면 양계리 6-6	수습	34	꼬막동 고분	시종면 신연리 산56-10	
10	양계리 백우동고분	신북면 양계리 693-1		35	신연리 고분군	시종면 신연리 1151	발굴
11	명동리 와우동고분군	신북면 명동리 121-1, 184-2		36	신연리 연소말무덤	시종면 신연리 242-4	
12	월지리 고분	신북면 월지리 83-13		37	옥야리 방대형고분군	시종면 옥야리 산159-2	발굴
13	와우리 옹관묘	시종면 와우리 산37, 89	발굴	38	옥야리 고분군	시종면 옥야리 597-1 외	발굴
14	와우리 여천고분A	시종면 와우리 산45-4	수습	39	옥야리 서촌고분	시종면 옥야리 731	
15	와우리 여천고분B	시종면 와우리 산9-11		40	옥야리 신산고분군	시종면 옥야리 449-6, 449-11	수습
16	봉소리 진동 석실고분군	시종면 구산리 산145-4	수습	41	수산리 조감고분군	도포면 수산리 763, 809-3	수습
17	월송리 송산옹관묘	시종면 구산리 산135-8	수습	42	서구림리 백암동고분군	군서면 모정리 506-11	
18	내동리 시종초등학교 뒤편 폐고분	시종면 내동리 467		43	금계리 고분군	학산면 금계리 1290	
19	내동리 쌍무덤	시종면 내동리 579-1	시굴	44	금계리 계천고분군	학산면 금계리 991-2	
20	내동리 초분골고분군	시종면 내동리 산6-3	발굴	45	용산리 용산고분군	학산면 용산리 435-2	
21	내동리 고분군	시종면 내동리 산49		46	남산리 마봉고분	미암면 남산리 181	
22	내동리 옹관묘	시종면 내동리 5	발굴	47	두억리 갈마옹관묘지	미암면 두억리 산97-11	
23	내동리 매화촌방죽 옆 고분	시종면 내동리 547		48	선황리 계양옹관묘	미암면 두억리 36-1	수습
24	내동리 동산고분	시종면 내동리 473		49	선황리 당리고분	미암면 선황리 산99-6	
25	내동리 원내동 성틀봉고분	시종면 내동리 362-3					

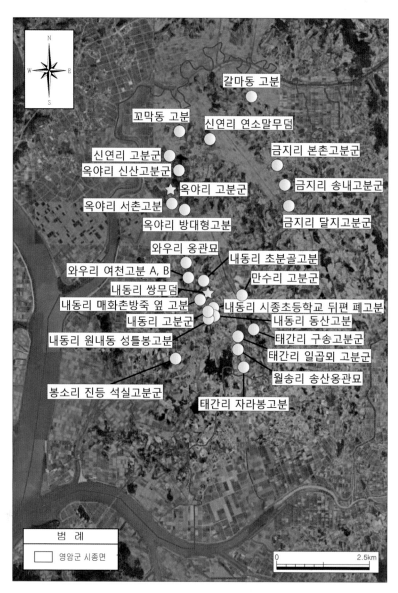

갈마동 고분

꼬막동 고분

신연리 연소말무덤

신연리 고분군

금지리 본촌고분군

옥야리 신산고분군

옥야리 고분군

금지리 송내고분군

옥야리 서촌고분

옥야리 방대형고분

금지리 달지고분군

와우리 옹관묘

내동리 초분골고분

와우리 여천고분 A, B

만수리 고분군

내동리 쌍무덤

내동리 매화촌방죽 옆 고분

내동리 시종초등학교 뒤편 폐고분

내동리 고분군

내동리 동산고분

내동리 원내동 성틀봉고분

태간리 구송고분군

태간리 일곱뫼 고분군

봉소리 진등 석실고분군

월송리 송산옹관묘

태간리 자라봉고분

범 례

영암군 시종면

0   2.5km

도면 8. 영암 시종면 마한고분 분포도

현재 영암군에 지정·관리되고 있는 문화재는 총 72건이며, 그 중 고분군은 8건으로 영암 내동리 쌍무덤, 옥야리방대형고분 등의 시도기념물 5건과 신연리고분군, 옥야리고분군 등의 문화재자료 3건이 지정되었다. 고분군 중에서 1990년대 고분 정비·복원 사업을 실시하여 훼손되는 것은 막기는 하였지만, 내동리 쌍무덤 등의 경우는 정비과정에서 훼손된 것이 확인되었고, 유적이 가진 가치에 비해 활용적인 면에서는 아쉬운 점이 많다. 〈표 5〉는 시종면에 위치한 고분의 정비·복원 및 관리 된 현황이다. 유적에 대한 관리와 보호가 되고 있다는 점에서는 바람직하나 고대 마한의 지배층 및 고위층의 무덤이라는 상징적 의미가 있는 고분이 이렇게 활용되지 못하고 있다는 시각으로 보았을 때는 아쉽다.

표 5. 영암 시종면 고분군 관리 현황

표 6. 복원 · 정비된 고분군

1. 활용형 고분 - 교육 및 관광으로 활용하기 위한 전시장 및 유적 정비	

고령 지산동 고분(사적 제79호)	공주 송산리 고분(사적 제13호)
2. 정비형 고분 - 유물전시관 등 관광활용을 위한 시설이 없는 유형, 견학위주 목적으로 정비	

경주 대릉원 일원 고분군(사적 제512호)	나주 복암리 고분군(사적 제404호)
3. 관리형 고분 -봉분 중심의 최소한의 관람로만 설치하고 전시 및 자료실이 없는 보존중심 고분	

경주 금척리 고분(사적 제43호)	부여 능안골 고분
4. 보존형 고분 - 관람객이 거의 없거나 토지 소유관계로 인해 최소한의 유적을 보호하기 위함	

구미 황상동 고분(사적 제407호)	김해 양동리 고분(사적 제454호)

물론 과거 문화재 특히 옛 조상들의 무덤에 대한 신성성 등의 시각은 개발논리에 대응하여 부정적인 인식이 높았지만, 최근에는 많은 대중에 긍정적인 시각이 점차 확대되고 있다. 대중의 문화재에 대한 관심과 정보에 부흥하는 문화재의 활용이 요구되고 있으며, 기존의 시각에서 한층 높아진 안목과 방향을 요구하고 있다. 이와 같은 변화에 따라 다음과 같은 방향으로 문화 재활용이 이루어져야하는데, ① 활용범위와 영역을 확대해야하고, ② 활용품격을 높이고, ③ 국민과 지역사회의 협력강화, 지역과 민간의 역량증진하고, ④ 지역적 특색을 충분히 살리고, ⑤ 문화재 유형 간·문화재와 타 분야 간에 연계활용, 융합 활용을 활성화해야 함을 강조하고 있다. (류호철 2013)

이러한 문화재 활용 방향은 문화재 활용 목적, 형태, 방식과 유기적인 관계 속에서 형성되어야함은 물론 목적과 관련된 수요자(사용자)의 요구를 바탕으로 설정되어야 한다. 2018년 문화재청에서 조사한 문화유산 방문목적은 여가 54.2%, 역사체험 16.9%, 자녀교육 13.1%로 나타나고 있으며, 이 같은 상황에 따른 소비패턴의 변화양상을 수시로 검토하고 활용방식이나 프로그램 등에 적극적·조직적으로 적용되어야 한다.

2011년 문화재청에서 발간한 고분의 보존관리 매뉴얼의 내용을 요약하고, 예시를 정리하였다(표 6). 보존관리 방법은 크게 네 가지 방안이 존재하며, 도와 지자체가 크게는 전남도민 작게는 영암군민이 찾아올 수 있는 방안을 채택하여 유적을 활용하는 것이 중요하다고 본다.

3. 영암지역 시종면 일대 활용에 대한 제언

'마한 문화유산의 활용방안'에 대하여 향유하는 수요자(관광객·주민)들의 관심과 이해를 바탕으로 문화재의 가치와 중요성을 일깨워 자발적인 참여의식을 형성하게 하는 다방면의 노력이 필요하다. 수요자의 요건을 충족시키는 여가공간의 제공하고 문화유산의 연계성을 고려한 루트조성을 통해 다양한 문화향유 기회를 넓혀야한다. 장소마케팅 및 스토리텔링을 비롯한 지역주민 및 학생들의 교육 등을 통해 문화유산의 역사적인 의미를 체험·체득하게 하는 관광·교육자원으로의 방향성이 제시되고 있다. (이재언 2020)

그런데 방향성 설정에 이루어지기 위해선 선행해야하는 여러 가지 사항들이 있는데, 기존 자료들과 함께 연관되는 되거나 서로 융합할 수 있는 대상의 현황을 조사하고 분석이 이루어져야한다. 주요대상의 현황, 주변 자연환경, 이동사항과 도로망, 학교·도서관·관공서와 같은 공공시설 등에 대한 전반적인 제반사항들의 유기적인 분석이다. 이러한 현황파악과 분석을 통하여 실제 문화재 활용이 표면으로 드러날 때 활용 형태와 방식을 구성하는 요소가 될 수 있다.

1) 고분군의 활용 방향성 선정

영암군 시종면에 소재하는 고분군도 이 같은 사항을 고려하여 방향을 잡아야 한다. 고고유적의 보존 및 활용을 위해서는 조사 → 평가 → 관리 → 활용으로 이어지는 단계적인 계획 수립과 시행이 필요하다. (장호수 2005) 어느 고고학조사에서도 마찬가지이지만, 지표조사 단계에서 확인된 수량은 발굴조사 단계와는 확연한 차이를 보이는 것이 현실이다. 현재 옥야리 고분군의 현황도 이러한 상황에서 예외는 아닐 것이다. 이것은 비단 고분의 수적인 부분만이 아니고, 현재 정비·복원된 대부분의 고분이 제대로 조사가 이루어지지 않은 상태로 복원되어 외형적으로 드러나는 분형조차도 잘못된 사례들이 확인되고 있으며, 그 과정에서 고분을 훼손

하는 경우도 확인되고 있다(국립나주문화재연구소 2012 · 2014; 전라남
도 문화재단 전남문화재연구소 2018).

다른 지역의 경우 현황파악을 위한 기초조사도 안되어 있는 경우가 많
아 문화유적 분포지도의 보완 혹은 고분을 대상으로 한 현황조사부터 시작
해야 하는 경우가 태반이다. 하지만 영암지역의 경우 1990년대부터 전라
남도, 나주국립문화재연구소, 대학박물관에서 진행한 고분측량 및 시 · 발
굴조사를 통해 고분의 기초자료는 어느 정도 수집된 것으로 생각된다.

이러한 장점을 기반으로 영암군의 자원을 연계 · 활용하는 시스템 구축
을 진행하여야 하며 이는 구체적으로 교육과 체험 위주의 문화자원 활용,
영암 시종이 가진 특징적 구축, 마한 문화 콘텐츠 및 프로그램 기획 등으로
생각해 볼 수 있다. 위에 주지했듯이 영암 시종면에 위치한 고분들의 활용
은 대부분 관리형에 해당한다. 많은 사람들이 함께 관람하기 어렵고 주변
제초작업과 관람로 관리 등만을 지속적으로 실시하는데 그치기 때문이다.

이에 영암 옥야리 고분군 기초조사로 정밀 지표조사를 실시하여 확인
되지 않은 고분군에 대하여 검토할 필요가 있다. 목포대학교 박물관에서
1985년 지표조사를 실시하였으나 제한된 범위만 조사가 진행되어 정밀
지표조사의 필요성이 지속적으로 제기되었다. 즉 주변 환경의 형질변경
으로 기존에 확인되지 않았던 고분이 확인되고 있어 이에 대한 검토가 시
급하다고 볼 수 있다. 따라서 옥야리 고분군에 대한 정밀 지표조사를 병
행하여 새로이 확인된 유적에 대한 보존방향과 어떻게 활용해야 할지를
논의할 필요성이 있다.

2) 역사적 · 교육적 인식의 확산 필요성(세계유산으로써의 가치 부여)

시종면 일대의 고분(군)들은 전남지역 고분의 주요한 특성을 대표하

며, 백제로의 편입설에 대한 근거를 약화시키는 주요한 자료 중 하나이다. 마한의 독자성이 가장 잘 나타나는 곳으로 5세기 중·후반 이후가 되면 반남일대의 확장성이 커지는 것으로 이해되었으나, 내동리 쌍무덤이나 옥야리 고분군의 발굴조사 성과를 통해서 시종면 일대 고분 축조세력들의 지속성과 확정성이 밝혀졌다. 또한 옹관에서 점차로 석실묘나 석곽묘로 전환되어 가는 양상에서 여전히 옹관이 주요한 위치를 점하면서 점진적으로 변화되어 갔음을 보여준다. 이것은 역사적 현실 속에서 마한사회의 가치 체계에 변화가 문화적 소산인 무덤에 반영된 것으로 이해되며, '시대정신'을 반영해 주고 있다. 시종면 일대의 고분(군)들이 남긴 유형적 요소와 무형적 요소들이 갖는 역사적 의미와 가치를 재해석하고, 역사적 과정에서 결합한 당대의 시대정신 -공존과 융합-를 현대적 가치로 정착하여야 할 것이다.

이러한 결과를 도출하기 위해서는 국가적 차원의 사적으로의 지정에 힘써야 할 것이고, 나아가 우리 지역의 자랑스러운 문화유산의 세계적 가치를 획득하고자 노력해야 한다.

3) 기존 시설의 연계 및 확장

시종면에 위치한 마한문화공원과 연계하여 나주 복암리 전시관과 같은 영암 옥야리 전시관 건립을 통한 교육과 체험, 휴식공간 등 다방면의 영역을 포괄할 수 있는 전시관 계획이 필요하다. 물론 답사 등의 프로그램을 통해 해결 할 수 있지만 이는 일회성 행사나 스쳐가는 형태로 운영되었으며, 유적을 교육과 체험의 장으로 적극 활용해야 한다는 점을 의미한다. 또한 체험의 장을 통해 영암군의 학생들이 자연스럽게 우리의 문화유산을 접하고 체험하는 형태가 된다면 우리 고장에 위치한 문화유산의 보존의식을 높임과 동시에 이해의 폭을 넓힐 수 있다는 장점이 있다.

현재 마한문화공원에 옹관 전시관이 있어 고분에 대해 간접적인 체험은 가능하지만, 실제 고분에서 출토된 유물이나 유적의 다양한 모습은 확인할 수 없다는 점에서 마한문화공원과 연계한 영암 고분전시관을 만들어 영암에 유구한 역사와 마한의 중심지였던 위용을 보여주는 고분의 면모를 지역민뿐만 아니라 도민들도 함께 확인할 수 있게 하는데 큰 역할을 할 것이라 생각한다.

4) 시종면 일대 고분군의 특징성 구축

영암 시종이 가진 특징성 구축이다. 이는 영암 시종면 일대 고분군의 특징성으로 바꿔 말할 수 있으며, 어디에서나 흔히 볼 수 없는 그 지역의 독특한 문화를 느끼게 하는 것이다. 예를 들어 영암군은 월출산을 심볼로, 기(氣)를 브랜드와 슬로건으로 만들어 사용하고 있다. 이렇듯 영암의 시종면 일대 고분군에 대한 대표적인 슬로건 혹은 브랜드화를 만들어 사용한다면 지역민들에게 홍보나 인식에서 훨씬 더 확실히 각인될 수 있다.

다만, 마한의 경우 문헌 자료의 부족으로 그 역사성을 고증하기 어렵기에 진정성이 부여될 수 있도록 고고학적 조사·연구를 통해 창의성과 독창성을 보여줄 수 있는 것이 필요하다. 또한 공감을 이끌어내기 위한 방안 중 하나로 스토리텔링이 중요하며 마케팅과 홍보를 위한 고민이 필요하다(이재언 2020) 한 가지 예로 지금 영암군에서도 홍보하고 있는 추천 관광에 보면 당일관광으로 기찬묏길-기찬랜드-가야금산조테마공원-도갑사-영암군립하정웅미술관-왕인박사유적지-주거변천사야외전시장-도기박물관-구림한옥마을이 홍보되고 있는데, 이렇듯 시종면에서도 마한역사공원에서 시작하여 내동리 쌍무덤으로 이어지는 '고분길' 혹은 '고대

길'을 만든다면, 타 지역민도 트래킹 혹은 하이킹을 목적으로 관광하러 올 수 있다고 본다.

5) 지속가능한 문화 콘텐츠 기획

마한 문화 콘텐츠 및 프로그램 기획이다. 영암군에서 마한축제를 진행하고 있으며, 이러한 지역축제를 통해 홍보를 하는 것 역시 마한 문화 콘텐츠로 개발 될 수 있다고 본다. 예를 들어 고령 지산동 고분군을 중심으로 2005년부터 실시하고 있는 '대가야체험축제(4월)'을 들 수 있다. 축제가 시작된 이후 대가야 왕릉전시관만 운영되던 때보다 훨씬 늘어나 해마다 20~30만 면의 관람객들이 방문하고 있다. 지방자치단체가 설립·운영하는 공립박물관으로서는 전국에서 많은 관람객을 유치하는 곳으로 평가받고 있다(김세기 2013). 이는 지역축제와 지역의 대표 고분군이 연계하여 성공한 사례이다. 또한 전문 인력(학예사, 문화유산해설사, 내고장 지킴이)을 유적에 상주시켜 찾아오는 주민과 관광객에게 고분군의 이해와 관심의 폭을 넓히도록 해야 한다. 덧붙여 영암군 내 분포하고 있는 문화유산은 다른 지역의 문화유산에 비해 다양하고, 흥미로운 문화유산이 많기에 일반인뿐만 아니라 전문가를 대상으로 한 답사코스 개발도 충분히 가능하다 본다.

이러한 마한 문화 콘텐츠는 작게는 지역민 크게는 전 국민에게 홍보 및 관광의 수단이 될 수 있다. 하지만 현재 코로나 19로 인한 팬데믹을 겪으며, 비대면, 비접촉의 시대에도 운영 가능한 포스트 코로나 시대를 대비하는 콘텐츠 및 프로그램을 기획해야한다. 최근 여행 유형만 해도 개별화, 소규모 추세가 가속화되고 안전과 위생이 관광지선택의 결정적 요인이 되고 있다. 경제 용어 중 뷰카(V·U·C·A)라는 말이 있다. 이 말

은 변동성(Volatile), 불확실성(Uncertainty), 복잡성(Complexity), 모호성
(Ambiguity)의 합성어로 마한 문화 콘텐츠·프로그램을 개발하는데 있
어 고려해야 한다고 생각한다.

Ⅳ. 맺음말

옥야리 고분군은 다양한 분형과 규모의 고분 28기가 확인되었다. 1987
년 1월 15일 전라남도 문화재자료 제140호로 지정되었으며 크고 작은 정
비와 마한문화공원 등 시설이 만들어졌지만, 보존과 활용에 계획과 실천
은 부족하였다. 고분의 수량, 다양한 분형과 크기, 과거부터 최근까지 이
루어진 조사를 통해 유구와 유물에 대한 연구가 지속적으로 이루어진다
면 더욱 옥야리 고분군의 중요성과 위상이 높아질 것이다. 또한, 최근 17
~18호분에 이루어진 시·발굴조사의 결과를 통해 좁게는 시종면과 영산
강일대의 마한문화를 밝히고, 넓게는 마한문화권 전역과 대외관계 등을
살필 수 있을 것이다. 결국 영암 시종면일대 고대 마한의 독창적이고 고
결한 문화를 찾는 계기를 마련하였다고 본다.

이처럼 고분은 고대사회를 파악하는데 중요한 실마리이다. 고분을 통
해 지역의 정체성을 확립할 수 있으며, 지속적인 고고학적 조사와 성과를
통해 마한 주체세력이 군집했을 것으로 보이는 영암의 경우 '고대 문화의
교차로' 혹은 '공존과 융합의 땅' 등을 주요한 콘셉트로 제시할 수 있다. 이
러한 고분을 적절히 보존 및 활용하기 위해서는 기초조사를 바탕으로 다
양한 시도, 실험적인 개발을 위한 노력이 이루어져야 한다. 그리고 고분
의 성격을 파악하기 위한 발굴조사와 학술회의 등의 계속된 연구가 필요
하다. 또한 지역민에게 고분군의 중요성을 알려 보존 및 활용 활동에 함

께 참여하도록 해야 한다. 보존 및 활용은 가장 상위의 복합형을 지향해야 하겠지만 일회성이 아닌 지속가능한 운영이 가장 중요하다고 판단된다. 마지막으로 영암 옥야리 고분군에 대한 보존과 활용방법에 대한 기초가 되었으면 하는 바람이다.

【참고문헌】

국립문화재연구소 문화유산 연구지식포털 검색, 2001, 한국고고학사전.

목포대학교박물관, 1986, 「고관」, 『영암군의 문화유적』.

목포대학교박물관, 1991, 『영암 옥야리고분』.

목포대학교박물관, 1999, 「영암 옥야리 고분군 시굴조사 보고서」, 『문화유적
　　　　시 · 발굴조사 보고』.

목포대학교박물관, 2011, 「무안 신기고분」, 『무안 송현리유적』.

문화재청, 2006, 『문화재 활용을 위한 정책기반 조성 연구』.

문화재청, 2007, 『문화재 활용 가이드 북』.

문화재청, 2010, 『문화재 유형별 활용 길라잡이』.

문화재청, 2019, 『2019 지역문화재 활용사업 290선 문화유산 유유자적』.

문화재청, 2020, 『2020년 지역문화재 활용사업 문화유산 유유자적 385선』.

문화재청, 2021, 『2021년 지역문화재 활용사업 400선 문화유산 유유자적』.

김낙중, 2014, 「방형 · 원형 고분의 축조기술」, 『영산강유역 고분토목기술의
　　　　여정과 시간을 찾아서』, 대한문화재연구원.

김세기, 2013, 「대가야 문화재를 활용한 지역관광 활성화 방안」, 『신라문화』41.

류호철, 2014, 「문화재 활용의 개념 확장과 활용 유형 분류체계 구축」, 『문화
　　　　재』47권, 국립문화재연구소.

서성훈, 1987, 「영산강유역 옹관묘의 일고찰」, 『삼불김원용교수 정년퇴임기
　　　　념논총1』, 일지사.

서성훈, 1989, 「영산강유역의 옹관묘와 전남지방의 고분문화」, 『한국고고학보』22.

성낙준, 1983, 「영산강유역의 대형옹관묘 연구」, 『백제문화』15, 공주대학교
　　　　백제문화연구소.

성낙준, 1991, 「영산강유역의 대형옹관묘의 시원과 발전」, 『전남문화재』3, 전
　　　　라남도.

성낙준, 1993, 「전남지방 장고형 고분의 축조기획에 대하여」, 『역사학연구』 12. 전남대학교사학회.

성낙준, 1996, 「백제의 지방통치와 전남지방 고분의 상관성」, 『百濟의 中央과 地方』, 제8회 백제연구 국제학술대회.

이문형, 2020, 「고창 봉덕리고분군의 고고학적 위상과 가치-영산강유역 방대형고분과의 비교를 통해-」, 『고창 봉덕리 고분군의 가치와 사적 확대 지정 방안』, 마한 · 백제문화연구소.

이영문, 1991, 「전남지방 횡혈식석실분에 대한 일고찰」, 『향토문화』11, 향토문화연구협의회.

이정호, 1996a, 「영산강유역 옹관고분의 분류와 변천과정」, 『한국상고사학보』22.

이정호, 1996b, 「영산강유역 고분에 대한 시론적 고찰」, 『박물관연보』4, 목포대학교박물관.

임영진, 1990, 「영산강유역의 석실분의 수용과정」, 『전남문화재』3.

임영진, 1997, 「전남지역 석실봉토분의 백제계통론 재고」, 『호남고고학보』6, 호남고고학회.

임영진, 2010, 「영산강 유역 옹관묘 사회의 연구사적 검토」, 『영산강유역의 고분 I 옹관』, 국립나주문화재연구소.

임영진, 2017, 「영산강 유역 옹관의 발생배경 시론」, 『영산강 옹관의 한성 나들이』, 한성백제박물관.

임영진, 2020, 「마한문화권 시 · 공간 범위와 문화특성」, 『전남문화재』제19집, 전남문화재연구소.

이재언, 2020, 「전라남도 마한 문화유산의 활용방안에 대한 제언」, 『전남문화재』제19집, 전남문화재연구소.

장수호, 2006, 「문화재 활용론-활용의 개념과 범주에 대하여-」, 『인문콘텐츠』7집, 인문콘텐츠학회.

'영암 내동리 쌍무덤 사적지정을 위한 학술대회' 종합토론

이정호 (동신대학교)

홍보식 (공주대학교)

김수환 (경남도청)

박순발 : 오늘 학술대회 종합토론 좌장을 맡은 충남대학교 박순발입니다. 모든 학술대회가 그렇듯이 주제발표는 종합토론으로 시간을 넘기고, 종합토론은 다음 학술대회로 시간을 넘기는게 우리 학계의 학술적 열정을 대변하겠지만 오늘은 시간을 맞춰서 진행해보고자 합니다.

오늘 학술대회 주제인 영암 내동리 쌍무덤 사적지정을 위한 학술대회에 맞게 준비해주신 토론문을 중심으로 심화 토론을 진행해주시면 되겠습니다.

먼저 이정호 교수님의 질의부터 시작하겠습니다.

이정호 : 제가 준비한 토론은 이범기 선생님의 영암 일대 방대형분의 축조 배경과 대외교류, 김낙중 선생님의 영산강유역 마한 사회에서 내동리 쌍무덤의 의의에 대해서입니다.

먼저 이범기 선생님께 질의 드리겠습니다. 크게 두 가지의 질의 사항이 있습니다만 시간관계상 두 번째 질의만 드리겠습니다. 내동리 쌍무덤은 석곽 두기가 남단벽쪽으로 내려 앉아있습니다. 그 아래 1호 석실인 횡구식 석실의 천장석이 눌려 있습니다. 제 식견으로는 목주식으로 떠받치고 있던 횡구식 석실의 천장이 상부 석곽의 무게로 인해 무너진 것으로 추정됩니다. 석실 내부가 진공상태가 아니고 빗물 등의 침습이 일상적인 지하 석실에서는 목재가 훨씬 빠르게 부패했을 것으로 생각이 됩니다. 그래서 목구조로 지탱하고 있던 횡구식 석실은 비교적 짧은 시간 동안만 천장석 무게를 버티고 있었을 것으로 생각됩니다. 다시 말해서 횡구식 석실의 천장 목구조가 아직 건재했던 시점에 상부에 석곽이 축조 됐다고 볼 수 있습니다. 그렇게 본다면 두 묘제 간에 시기차이는 크지 않을 거라고 생각되는데 두 묘제간의 시차를 약 50년으로 보고 있기에 과연 50년의 시차로 볼 수 있을지 이범기 선생님의 견해를 부탁드립니다.

박순발 : 그럼 이범기 선생님 여기에 대해서 답변 부탁드립니다.

이범기 : 네, 이정호 교수님께서 말씀하신 것처럼 저도 발표문에 50년이라는 표현을 잠정적으로 사용했지만, 저 또한 시기 폭은 그렇게 넓지 않다고 보고 있습니다. 이렇게 보는 이유는 후대에 1호 석실의 천장석이 무너지면서 상면에 축조된 1호, 2호 석곽의 벽석 하단부 장벽에 해당되는 벽면이 바닥이 주저앉으면서 부분적으로 벽석이 안쪽으로 기울어지는 모양을 하고 있습니다. 이처럼 벽석이 기울어진 현상은 아마도 1호 석실의 천장석이 건재하고 있을 때 1, 2호 석곽이 축조 된 걸로 볼 수 있기 때문입니다. 따라서 현재는 이러한 현상을 분석중에 있기 때문에 지금 이 자리에서 명확하게 단정하기는 어렵지만 저 또한 이정호 교수님 말씀처럼 최소한 20~30년 정도는 천장석을 결구해주었던 목주가 버텨주지 않았을까 추정하고 있습니다.

박순발 : 네, 이 문제는 유물인 토기를 통해서 접근, 분석한 시각이 있으니까 잠시 후에 서현주 교수님께도 관련 코멘트를 부탁드려보기로 하겠습니다. 다음은 김낙중 선생님에 대한 질의도 부탁드리겠습니다.

이정호 : 네, 김낙중 선생님께도 한 가지만 질의 드리겠습니다. 일단 두 지

역의 금동관의 입식차이, 나주 신촌리 9호분과 내동리 쌍무덤 출토품이 타출(打出)과 축조(蹴彫)라는 기법의 차이는 있지만 기본적인 구도를 보면 먼저 평면 구도가 거의 완벽하게 일치합니다.

첫 번째로 중심 줄기 최상부에 장식하는 꽃봉오리 형상의 받침까지도 일치하고 있고 또 하나는 그 하단 좌우로 뻗은 작은 꽃봉오리의 형상과 받침까지도 역시 일치하고 있습니다. 두 번째는 꽃봉오리 하부를 표현하기 위한 투조가 되어있는데, 투조의 형태와 개수가 두 금동관이 정확히 일치하고 있습니다.

또 하나는 내동리 쌍무덤에서는 꽃봉오리 겉표면에 유리구슬을 장식하고 있는데 신촌리 9호분 출토 금동관에서 유리구슬이 붙어있는 자리에 또 다른 돌기로써 장식을 하고 있습니다. 이와 같은 유사성으로 봤을 땐 두 금동관이 거의 동시기에 만들어진게 아닌가, 그게 아니라면 같은 구도를 가지고 전승으로써 이렇게 까지 일치 할 수 있는가 라는 의문으로 출발한 질의인데요. 축조와 타출이라는 장식 기법의 차이만으로 시기차이를 가지고 있다고 주장 할 수 있는가 의문이 들어 질의 드립니다.

박순발 : 김낙중 선생님 답변 부탁드립니다.

김낙중 : 선생님이 말씀하시는 거의 동 시기라는 것이 어느 정도 시간적 범위를 말씀하시는지 정확히는 모르겠습니다만, 저도 크게 시간 차이가 나지 않는다는 점에 대해선 동의하는데 어느 것이 앞설까 하는 관점에서는 한성기에서부터 이어져오던 축조기법이 쌍무덤 출토품에만 보이고 신촌리에서는 타출만 보이기 때문에 내동리가 선행한다고 생각합니다. 그리고 입식의 형태도 신

촌리 것은 넓은 판을 써서 가운데 수직으로 투조를 해서 3줄기로 한 복잡함을 보이고 있어서, '순서상으로 쌍무덤 것이 이르다' 정도의 말씀은 드릴 수 있을 것 같습니다. 그리고 앞으로 더 확인이 될지는 모르겠습니다만, 기본적으로 백제 금동관의 변화가 관모에 입식이 붙어 있다가 신촌리 9호분처럼 대륜에 입식이 따로 부착이 되는 형태로 변화하는데 만약 쌍무덤에서 이러한 입식 부착부 관련 유물이 추가로 확인이 된다면 명확해지지 않을까 싶습니다. 문제가 되는 것은 금동관은 일상적으로 만들어서 분배하는 게 아니고 중앙의 왕권과 지역 수장 사이에서 특별한 일이 있을 때 주고받는 비정기적인 것이라 같은 시기에 만들어도 양식상 차이가 있을 수 있어 이정호 교수님 말씀도 공감은 합니다만 (내동리 금동관이) 순서상으론 빠른 걸로 보고 있습니다.

박순발 : 네, 보다 근본적인 문제를 보려면 사실 이정호 교수님께서 지적하셨다시피 모티브가 동일해야 합니다. 디자인에서 중요한 요소가 모티브인데 이 모티브를 구현해 내는 기법은 차이가 있지만 모티브가 동일하다 했을 때 단순한 시간적인 문제뿐만 아니고 더 중요한 계통문제 등이 있을 겁니다. 그래서 이 문제는 신라 출자 금관의 계통 등과 어울러 한반도 전체에서 중요한 과제 중 하나가 아닌가 싶어 시간이 된다면 해결의 관점보다는 미래의 연구 가치로써 다뤄보고자 합니다.

다음 순서로는 홍보식 교수님께서 말씀해주시겠습니다.

홍보식 : 네, 오늘 내동리 쌍무덤 조사성과를 발표 들으면서 굉장히 중요한 고분이라는 생각을 하게 되었습니다. 오늘 학술대회 주제 자

체도 쌍무덤 사적지정의 과정이라고 볼 수 있는데, 사적지정이 추진된다면 영산강 수계에 분포하는 문화유산의 이미지 상승과 활용의 촉진제가 될지 않을까 생각합니다.

이범기 소장님 발표문에서도 보았듯이 쌍무덤은 첫 조성시 제형이었으나 확장이 되면서 분형이 방대형으로 변경되었다고 보여집니다. 그렇다면 영산강 수계 고분이 저분구에서 고분구로 이행이 점진적으로 이루어진 걸로 판단되나 근접한 옥야리 방대형분은 이러한 변화 과정을 보여주지 않고 첫 조성부터 방대형을 취하였는데 이 차이는 영산강유역 매장문화에서 어떠한 의미를 내포하는지 설명을 듣고 싶습니다.

다음은 제형분의 경우 매장주체시설이 지면을 일부 굴착하거나 정지한 지면 위에 대부분 위치하는데 고총화된 방대형분에서는 매장주체시설이 분구 조성 중 만들어지는 것에 대한 배경과 주요 요인이 무엇인지입니다. 이는 사적 지정하는데 있어서 중요한 요소로도 판단됩니다. 그리고 대형 옹관이 특징적인데, 대형 옹관의 성행은 기술·경제적 발전과 시신 훼손 방지 등의 배경으로 시작되어 발전했다고 설명하셨습니다. 이런 사회와 경제적 배경에 의해 옹관이 매장주체 시설로 사용되었다 하더라도 선 분구 후 매장이라는 하나의 프로세스가 성립된 배경에 대한 직접적인 설명은 아닌 것 같습니다. 또한 5세기 이후에 왜계 매장시설이나 왜계 요소가 가미된 석곽과 석실을 수용하게 된 배경과 괴리가 있다고 보여 질문을 드립니다. 그리고 내동리 쌍무덤과 옥야리 방대형분 선후관계에 대해 발표하신 세분의 선생님께서 시차가 있지만, 옥야리 방대형분과 같거나 조금 늦다고 보시는 것 같습니다. 옥야리 방대형보다 내동리 쌍무덤이 방대형으로 변화하는 시기가 늦다고 했을 때 소지역 또는 집단마다 방대형 고분 형태, 즉 고총화로의 진전에 있어서 소지역 또는 집단 간 차이가 있는 것으로도 볼 수 있는지에 대해서 질문을 드리고 싶습니다. 6번 같은 경우에 현재 영산강유역과 서남해안 지역에서 왜계 고분이 순차적으로 확인되면서 큐슈지역과 유사한 변화·발전 양상을 보이는데 같은 남해안권인 가야권역은 확인되지 않지만 영산강유역에서만 나타나는 현상을 어떻게 이해해야 될지에 대해서도 질문 드립니다. 나머지는 시간이 허락하면 추가 질문 드리도록 하겠습니다.

박순발 : 이범기 선생님 먼저 답변 부탁드립니다.

이범기 : 네, 홍보식 교수님의 질의는 발표자 분들이 돌아가면서 답변을 해야 될 것 같습니다. 제가 먼저 말씀을 드리면 저는 이번 발표문을 작성하면서 키워드로 몇 가지를 생각하고 있었습니다. 첫 번째로 시기, 분형, 금동관의 출토 위치, 출토유물(청자잔, 구슬, 형상하니와), 등의 부분을 핵심주제로 생각하고 있었는데요, 두 번째 질문인 분형에 대해서 먼저 말씀드리겠습니다. 옥야리 방대형분의 경우 말씀하신 것처럼 처음부터 아예 분형을 계획적으로 방대형으로 축조했습니다. 그리고 중심 매장시설은 석실(수혈계 횡구식석실)이 정중앙에 위치해 있고, 주변 분구 사면부에 다양한 묘제(석곽, 옹관 등)가 자리하고 있습니다. 그 다음에 원통형 토기가 주구에서 다량으로 확인이 되었으며, 그 외에도 지망상의 분할성토 등 다양한 방식을 사용한 분형의 축조기법이 복합적으로 확인되었습니다. 이에 비해 쌍무덤의 경우에

는 최종적인 분형은 방대형이지만 처음부터 계획적으로 축조된 방대형이 아니라 영산강유역 고분에서 자주 확인되는 선행분구인 제형에서 분형이 후대에 수평 및 수직확장의 과정을 거치면서 최종적으로 고대화된 방대형으로 변화한 것으로 볼 수 있습니다. 다만 매장주체부의 중심묘제라 할 수 있는 1호 석실은 옥야리와 비슷한 유형의 수혈계 횡구식 석실입니다. 다만 차이점은 중심묘제가 옥야리는 1기만 확인되었고, 쌍무덤은 분구가 거대한 방대형임에도 상·하층으로 중첩되며 영산강유역에서는 확인되지 않던 세장형의 석곽이 축조되었다는 것입니다. 석곽과 석실의 조화, 또한 석실의 입구에 해당되는 부분에 옹관 2기가 안치된 점, 형상 하니와 등 특징적인 토기와 다양한 유리구슬로 확인된 장신구의 유물 상에서 옥야리 1호분 매장 세력과 쌍무덤 세력은 같은 시종지역 문화권이지만 각각의 독립된 세력을 유지하지 않았을까 추정합니다. 내동리 쌍무덤의 경우 출토유물에서도 확인된 것처럼 영산내해에 위치하고 있기 때문에 해양문화에 더 영향을 받았던 걸로 추정을 하고 있습니다.

다음으로 세 번째 질문의 경우에도 두 번째 질문과 유사한 설명이 될 수 있는데요. 쌍무덤은 1호·2호 석곽 등 이질적인 묘제가 들어오긴 했지만 전통적인 장법을 고수하고 있습니다. 최초 제형에서 방대형으로 분형이 변화된 양상은 전통적인 장제에 영향을 준 것으로 추정됩니다. 대형 옹관의 성행 역시 시신 훼손방지 등으로 이해는 하고 있지만 선 분구 후 매장이라는 프로세스가 왜계 매장시설 요소를 포함하고 있는 석곽 등을 수용하게 된 현상과 괴리가 있다기보다는 새로운 형태의 문화적인 요소로 수용되었던 것으로 조심스럽게 생각합니다. 영산강유역에서 왜계의 영향을 받았다고 하면 시각이 왜곡되는 경향을 보이고 있는데, 저는 왜계 단독의 영향 보다는 가야, 중국 등 영산강유역이 지리적 특성상 해안가에 위치해있기 때문에 해양 세력의 특징으로써 다양한 문화양상이 확인 되는 게 아닐까 싶습니다.

박순발 : 네. 어려운 질문이었는데 세 가지 다 답변이 됐을까요?

홍보식 : 네.

박순발 : 제 견해로는 첫 번째는 사실적으로 접근이 가능하지만, 두 번째는 분구 축조 방식이 큐슈와 같이 전개 되는지에 대해선 학술적인 설명이 전제가 되어야 해서 팩트체크까지는 오늘 힘들 것 같습니다. 다만 중요한 접근으로 분구 축조에 대해서는 기존에도 학술대회가 이루어져왔습니다. 사실 이 분구라는 것 자체가 왜 특정지역에 있는가 하는데 영산강 유역 일대는 사실 땅을 돋지 않으면 땅이 나올 공간이 별로 없어요. 이는 일본 하카타항과 후쿠오카 지역, 임영진 교수가 자주 인용하는 중국의 토둔묘(토돈묘 土墩墓) 같은 경우도 역시 절강이나 연해 지역, 이집트에서 대규모 홍수기에 토목을 했듯이 영산강유역에서도 다양한 방식의 토목적 기법을 구사해 고분 축조라고 하는 결과물로 나타나지만, 다양한 방향으로 접근해야하는 과제정도로 정리하고 넘어가는게 어떻겠습니까?

좌　중 : 네.

홍보식 : 네, 다섯 번째 질문도 이범기 소장님께 부탁드리겠습니다.

이범기 : 짧지만 제 생각을 말씀드리자면 일단 말씀하신 것처럼 저는 시기차가 거의 없이 옥야리 방대형과 동시기이거나 쌍무덤이 약간 후행한다고 봅니다.

박순발 : 쌍무덤이 늦다는 근거는 뭡니까?

이범기 : 제형에서 방대형으로 가는 분형으로 봤을 때는 전형적인 방대형으로 축조한 옥야리보다 쌍무덤이 빠를 수가 있지만 전체적으로 1호 석실 출토 유물 등으로 봤을 땐 옥야리 방대형과 비슷하거나 시기차가 거의 없이 늦지 않을까 우선적으로는 생각하고 있습니다.

박순발 : 네, 이 문제도 서현주 선생과 김낙중 선생이 팩트 체크 차원에서 두 고분의 시기차와 석실과 석곽의 시간차가 얼마나 나느냐의 각자 견해를 들어보는 걸로 하겠습니다.

홍보식 : 네, 제가 이 질문을 드리는 이유는 가야하고 비교했을 때 사회발전 정도가 유사하다고 하는 논의가 최근에 많이 있지 않습니까? 가야같은 경우는 중심지가 있고 중심지보다 발전이 조금 늦은 지역도 분명히 존재하고, 중심지가 넘어가는 성향도 보입니다. 이렇게 동 시기에 같은 공통점을 공유하면서도 차별성이 상존하는 게 가야 쪽입니다. 그럼 이런 것들이 영산강 유역, 즉 마한에서도 설명이 가능한지 연계해서 답을 듣고 싶습니다.

이범기 : 네, 그럼 홍보식 교수님의 질문에 제가 생각하는 현황을 말씀 드리겠습니다. 가야지역에서 확인되는 집단묘처럼 집중적으로 확인되는 묘제가 있으면 가설이 성립되기 용이하겠으나 영산강유역은 가야 같은 집중적인 묘제가 없어 정확한 답변은 쉽지 않습니다. 하지만 시종을 중심으로 국한한다면 가야지역과 유사한 패턴이 보일 수 있다고 봅니다. 아무래도 내동리 쌍무덤에서 주변 옥야리 등으로 중심이 이동되지 않을까 싶습니다. 가야와 유사하게 대입을 한다면 쌍무덤을 시종, 남해포구에서 중심묘역, 그리고 옥야리 방대형, 군집으로 축조된 옥야리 고분군 순으로 볼 수 있고요, 묘제는 조금 다르긴 하지만 주변으로 소규모 군집묘인 만수리, 신연리 고분군 등이 위치하고 있기 때문에 충분히 대입이 가능할 듯합니다.

박순발 : 뭐 우리는 고고학적으로는 귀납적으로 패턴을 찾을 수 밖에 없겠죠. 고분군이 내동리 쌍무덤 고분군과 옥야리 고분군과 직선거리 2km정도 되기에 동일 공간은 아니어서 크게 봐선 한 집단일 수는 있으나 동일한 집단으로 보진 않는 것이 타당하지 않을까 싶습니다. 그러면 시간관계 상 다음 질문은 짧게 부탁드리겠습니다.

홍보식 : 6번째 질문은 김낙중 교수님께 드리겠습니다.

박순발 : 그럼 김낙중 교수님은 6번째 질문 대답과 이어서 쌍무덤과 옥야리의 선후관계에 대해서도 판단 근거에 대해서도 대답해주시고, 이어서 서현주 교수님도 부탁드립니다.

김낙중 : 네, 서남해 해안뿐만 아니고 영산강 하류인 영산 내해라 불리는 곳에 일본 열도 큐슈지역에서 유행한 왜계 매장 시설이 확인되고, 연동되어서 변화하는 현상에 대해서 답변 드리겠습니다. 백제와 고구려 사이에서 완충 역할을 했던 낙랑, 대방이 멸망을 하면서 고구려와 직접적인 군사적 긴장관계가 형성되면서 백제는 남쪽으로 관심을 가지게 되었고, 군사적인 관점에서 왜, 가야와 관계가 깊어질 수밖에 없는 역사적 배경이 있다고 봅니다. 이러한 배경 속에서 왜와의 통교, 활발한 교섭이 이루어지죠. 그리고 또한 이 시기에 주로 일본 열도와 교섭하던 것이 낙동강 하구 중심의 금관가야 세력이었는데 고구려 압박에 의해 주도권이 금관가야에서 백제 쪽으로 넘어오면서 중간 역할을 했던 것이 서남해안 일대의 세력이라고 볼 수 있습니다. 그런 백제와 왜와의 교통, 교섭이 활발해지면서 중요해 진 것이 연안 항로가 되겠고, 연안 항로가 확장되며 내륙에 진출을 해야 하는데 그 통로가 영산강과 같은 내륙 수로가 되는 거겠죠. 결국은 백제 중앙과 왜 야마토 왕권이 주축이 되고 그 중간에 있는 큐슈 세력, 영산강유역 세력, 가야 세력들이 중간에서 교섭 역할을 하면서 각자의 이익을 취하는 프로세스가 있지 않았을까 합니다. 그런 백제 중앙과 일본 열도의 위세품을 가진 집단이 위세를 빌려 지역 사회의 지배력을 강화하는 시스템을 상정하고 있는데, 어쨌든 일본 열도와 관련된 것은 백제와 왜의 통교 과정에서 해양세력이 중요한 역할을 하였기 때문에 나타난 것이 아닌가 보고 있습니다. 그리고 장동 1호분과 쌍무덤의 시간적 관계는 기본적으로 쌍무덤이 조금 늦다고 봅니다. 장동 1호분은 지금까지 전무한 완성된 형태의 방대형분이지 않습니까. 그런 새로운 것은 내

부의 점진적인 발전과정에서 등장했다기보다 백제의 방형이나 방대형의 무덤 전통 등의 외부 충격으로 인해 전형적인 무덤이 새로 만들어진다고 봅니다. 쌍무덤은 어쨌든 제형의 특징이 조금 남아 있고 김승근 원장님이 발표한 옥야리 19호분에서도 제형의 특징이 확인됩니다. 새로운 전형으로 등장한 것이 장동 1호분이고 전형의 새로운 무덤을 지역사회에서 따라하려는 경향(emulation process)으로 주변에서 모방해 내동리 쌍무덤과 옥야리 19호분이 등장했다고 봅니다. 다음으로 주 석실인 횡구식 석실도 일본열도와 관련되었다고 보는데 일본열도는 장방형이 대부분이나, 평면을 보면 장동 1호분, 나주 신흥리 가흥고분보다 쌍무덤이 훨씬 커지고 방형에 가까워졌고 부장품에 있어서도 장동 1호분은 가야계이거나 일본에서 유행한 함안양식 토기가 확인되고 가죽으로 꿰맨 판갑의 존속 연대 등을 보면 5세기 중엽정도로 보고 있습니다. 그에 비해서 쌍무덤 안에서는 재지계 토기류를 부장한 특징 등 현지의 제사 전통을 따랐기에 현지화됐다고 판단됩니다. 이러한 관점에서 쌍무덤이 조금 더 늦다고 봅니다만 시간차에 있어선 명확하게 말씀드리긴 어려울 것 같습니다.

박순발 : 네, 다음은 서현주 교수께서 토기 검토를 중심으로 말씀해주시기 바랍니다.

서현주 : 토기를 가지고 이야기를 하자면 시기는 1호 석실묘의 토기류로 봤을 때 5세기 중엽 정도로 판단됩니다. 이는 내동리나 신연리에 분포한 목관묘, 옹관묘에서 확인된 이 지역의 토기와 거의 같

은 기종 구성과 형태, 문양을 보이고 있기 때문입니다. 옥야리 방대형 고분하고 비교해보자면 김낙중 교수님 말씀하셨던 것처럼 거기에는 재지계 토기들보다 TK 216, 73단계 정도의 이른 일본의 스에키가 확인되고 있습니다. 내동리 쌍무덤 1호 석실묘 개석 상부에서 확인된 토기인 유공광구소호를 제외하면 스에키는 없었다고 생각합니다. 그 토기는 2호 석곽묘 출토로 볼 수도 있어서, 토기의 구성이나 내용에 있어서도 옥야리 장동 1호분을 이르게 볼 수 있습니다. 또한 분주토기 또는 하니와라고 부르고 있는 토기도 옥야리 출토품은 일본의 하니와 영향을 받아서 조금 변화되고 추가된 요소도 있지만 바닥부분에 구멍이 뚫려 있는 소위 호형이라고 이름 붙이고 있는 것들입니다. 옥야리 출토품은 기존에 3~4세기 때 영산강유역 있었던 분주토기의 전통을 잇고 있는 것이고, 내동리 출토 하니와는 형상 하니와여서 그것 또한 차이가 있다고 봅니다. 그래서 김낙중 교수님께서 말씀하셨던 것처럼 저도 영산강유역에서 확인되는 전형적인 방형이 있고, 단제형이라고 얘기를 하는 제형이 짧아진 것들이 있는데 일단 옥야리 방대분은 방형이고 복암리 정촌 고분도 같은 형태이고, 복암리 3호분 등은 단제형에 가깝기 때문에 늦다고 생각을 합니다. 그리고 2호 석곽묘나 2호 석실묘 등 후축 매매장시설에서 출토되는 토기들을 편년하자면 일단 나주 신촌리 9호분 늦은 단계, 나주 덕산리 9호분 등 늦은 단계의 영산강유역 토기들이 많이 출토되며 다양한 개배류와 정형화된 토기 등으로 미뤄보아 5세기 중엽 정도까지 올려버린다면 1호 석실묘와 1, 2호 석곽묘의 간극이 너무 클 것 같습니다. 따라서 5세기 후엽에서 조금 더 이른 시기까지 볼 수 있지 않을까 싶습니다. 정리하자면 횡혈식 석실묘가 들어와서 특징들의 영향을 받을 수 있을 정도의 단계, 예를 들면 복암리 정촌 1호 석실묘 같은 묘제가 들어와서 기존의 옥야리 방대분 단계의 매장시설의 횡혈식 요소에 영향을 주었을 단계, 이렇게 고분의 축조시기를 추정하고 있어 옥야리 방대형 고분 보다 다음 단계로 보고 있습니다.

박순발 : 네, 사실 똑 부러지는 근거 도출은 사실 어렵습니다. 다만 정황론적으로 고분의 축조과정 상 제형이 먼저 있었다는 것이고, 복암리 1호분도 같은 유형입니다. 다만 복암리와 쌍무덤 둘 다 상부를 다 해체하고 재 축조할 수는 없으니 저분구 상태로 있다가 매장주체부의 흔적이 없어 존재를 파악하지 못했거나 저분구 상태에서 기존 매장주체부의 존재를 인식하면서 추가 축조가 이루어졌을 수도 있고, 여러 가지 추론이 가능합니다. 토기론에 있어서 TK 73이라고 하셨는데, 그 정도로 빠른가요? 청주 신봉동 유적에서 나온 토기류를 가시하라 고고연구소 기노시타 와타루 선생님 같은 경우에는 완벽한 스에키가 아닌 스에키계라고 이름 붙였습니다. 그때 출토된 초기형 개배가 내동리 쌍무덤 출토 개배와 유사합니다. 그 개배는 한성기에 속하는 것은 분명하고, 기노시타 선생은 몽촌토성과 같은 시기인 TK23으로 비정했습니다. 그런데 TK73은 더 빠르지 않습니까? 상대적으로 우리가 TK73으로 보느냐 23으로 보느냐 인데 우리가 일본 고고학을 하는게 아니라 그 부분은 전문가들 사이에서도 이견이 있기에 더 논의하면 미궁에 빠질 것 같습니다. 적어도 두분의 취지는 뭐냐, 쌍무덤보다 옥야리가 빠른 것 같다. 고분이 조성된 평면 형태에 있어서도 그렇고 종합적으로 유물 상에서도 빠르게

판단되는 것으로 정리하면 어떨까 합니다. 시간이 남으면 마지막에 자유발언 때 추가 의견을 주서도 좋습니다.

이제 허진아 교수님에 대한 질의응답을 진행하도록 하겠습니다.

허진아 : 네, 1번, 2번에 대해 답을 드리고 3~5번은 묶어서 드리도록 하겠습니다. 먼저 1번에 대한 답을 드리면 '한반도에서 자체 제작되는 것 언제부터인가, 그리고 거푸집을 어떻게 평가 하는가' 인데 일단 거푸집은 제가 카운팅 했을 때 13~15점 내외로 나오고 있고 주로 부안이나 해남 등 해안의 패총유적이나 내륙의 중심취락인 광주 서남동, 풍납토성 등 인구가 밀집되어 있는 도시의 성격을 띄는 곳에서 주로 확인이 되고 있습니다. 사실 박물관에서 주로 복원해 놓은 걸 보면 유리물을 녹여서 따르는 모습으로 되어 있는데 근데 이 거푸집은 상면이 플랫하지 않습니까? 사실상 따르는게 아닌 유리 가루(파우더)를 만들어 반죽한 후 동그랗게 말아서 거푸집에 하나씩 놓습니다. 그리고 그 위에 철심이나 대나무 등을 꽂아 놓고 고온으로 녹여서 제작하기에 당연히 유리의 조성비가 굉장히 불규칙하고 투명한 유리가 나올 수 없습니다. 그래서 우리가 흔히 아는 고분에서 출토되는 소다 계열의 투명한 컬러풀한 유리는 이 거푸집으로 생산된 것이 아니다. 그리고 적어도 거푸집 사용은 3세기 원삼국 단계의 주거지에서 주로 출토되기 때문에 그 단계부터는 상거래가 이루어지는 곳을 중심으로 파손된 유리 등을 갈아서 재사용하는 등 재가공의 맥락에서 거푸집이 출현 한 게 아닌가 싶습니다. 그리고 거푸집은 흥미롭게도 유리물을 원소재로 직접 만들 수 있는 곳인 동남아시아나 남아시아에서는 확인이 안 되고 아프리카에서 처음에

나오는 기법입니다. 그런데 우리 한반도, 특히 마한 백제권에서 확인되는 거구요.

두 번째, 정인성 교수님께서 백색 토기, 소금 교역 등을 예시로 산동반도와의 직접 교류를 전고에서 상정을 하셨습니다. 사실 이 문제는 굉장히 중요한데 이 문제를 해결 할 수 있는 건 제가 봤을 땐 유리구슬 보다는 오히려 수정구슬인 것 같습니다. 가야에 김해 양동리나 신라 고분도 마찬가지지만 가야 권역에서 나오는 수정은 정말 어마어마합니다. 마한·백제권은 큰 수정은 확인되지 않고 그나마 작고 마름모꼴로 확인되는 게 완주 상운리나 고창 등에 한정되어있고 영산강에는 없습니다. 완전히 투명하고 큰 수정들은 낙랑인 정백동 등에서 확인이 되고 있고 구성 양상을 보더라도 전형적인 한나라 합포 무덤 만기 정도의 전축분에서 출토되는 구슬 구성양상, 조옥, 호박으로 만든 동물형 형상 등 양상이 똑같습니다. 그런데 마한·백제권은 대형 수정은 보이지 않으며 보성 석평 등에서는 수정을 직접 가공하기도 했지만 아주 조악합니다. 대형이고 양질의 수정들은 스리랑카에서 대규모로 제작이 되었기에 또 불교루트와도 이야기가 되고 있긴 합니다만 추정 가능한 것은 마한·백제권과 가야권역은 분명히 다른 교역망을 가졌다는 겁니다. 마한·백제권역에 낙랑 관련 물질문화가 확인되지 않는 것처럼 수정 또한 마찬가지라는 점 등에서 정인성 교수님과 마찬가지로 이쪽에서 묘도열도나 요동반도를 경유하지 않고 산동으로 직항로를 뚫었지 않았을까 라고 추정은 하고 있습니다.

그리고 나머지 3, 4, 5번은 거의 백제와 영산강유역에 관련되어 교역의 통제권 혹은 위신재라고 하는 고가품에 대한 중앙 통제권이 얼마만큼 있었냐 하는 문제인 것 같습니다. 사실 제가 발표 때도 누차 설명 드린 것처럼 곡옥과 수정에 대한 천공기법 연구와 sem을 이용한 정밀 관찰을 통해 분석을 진행 중에 있어서 이 발표에서는 가정을 통한 전제로 넘어 갔습니다. 사실 제 입장은 아직 유보적입니다만, 정인성 교수님께서 말씀하신 것처럼 제작기법을 더 치밀하게 봐야하고 전세품의 가능성도 고려되어야 하기에 3~5번은 수용하고 반영해서 연구를 계속하도록 하겠습니다.

박순발 : 네, 질문내용과 함께 설명해주셨는데 우리가 사실은 유리 제작 과정의 구체적인 프로세스를 모르고 거푸집의 용도를 당연시했던 것 같습니다. 용융기법으로 주조 유리를 만드는 본 고장에서는 오히려 거푸집이 없고 재활용한 지역에만 거푸집이 존재 한다는 게 첫 번째로 중요한 포인트 같습니다. 다음으로 황해 횡단 항로의 문제는 선박이나 주변 정세 등을 종합적으로 봐야하기 때문에 유리구슬만 가지고 오늘 논의하기에는 무리가 있는 것으로 정리하고 활용 부분으로 넘어가 김수환 선생님께서 질문해주시면 감사하겠습니다.

김수환 : 역사문화권 정비에 관한 특별법이 올해 6월 10일 시행되면서 고대 문화유산이 주목을 받고 있고 마한문화권은 제가 몸담고 있는 가야문화권과 아주 비슷한 과정을 거쳐 왔습니다. 오늘의 주제인 영암 내동리 쌍무덤의 국가 사적 지정을 추진하는 것은 단순히 문화유산의 역사적 가치 상승에만 목적을 두는 게 아니라 향후 복원 정비와 활용방안을 함께 모색 할 수 있다는 측면에서

올바른 정책 방향이라고 하겠습니다. 최근 3년간 경남의 고대 유적 3개소가 국가 사적으로 신규 지정되었습니다. 사실 1960년대 이래 거의 10년 단위로 고대 유적 1~2개소 정도가 국가 사적으로 지정된 것에 비하면 최근 지정 사례가 증가하긴 했으나, 현재 합천의 삼가고분군, 성산토성, 함안의 남문외고분군의 사적 지정을 추진하면서 국가 사적 지정이 얼마나 지난한 과정인지를 느끼고 있습니다. 이런 점에서 영암 내동리 쌍무덤의 사적 지정 추진 방향이 어떻게 설정되어야 할지 매우 중요할 것으로 생각됩니다.

저는 개인적으로 가야문화권 고분을 연구해왔으며, 오늘은 마한문화권 분구묘에 대해 많은 이해를 하는 계기가 되었습니다. 이에 가야문화권과 비교하는 시각에서 질문을 드리고자합니다.

첫 번째는 사실 유적의 사적 지정을 추진 과정 중에서 학술대회를 개최하는 가장 중요한 목적인데요. 아까 홍보식 교수님의 8번 질문과도 연결되기 때문에 홍 교수님께 이 질문을 넘기도록 하겠습니다.

두 번째는 가야문화권의 시각에서 이범기 소장님께 질문드리겠습니다. 보통 고총 고분의 축조와 매장주체부의 형식이 새롭게 등장한다는 것은 내부적인 발전과 외부적인 요소의 유입을 의미하는 것이고 대체로 가야문화권에서도 목곽묘에서 석곽묘로의 전환 시기를 5세기 중엽 정도로 이해하고 있습니다. 또한 가야문화권은 매장부의 변화가 목곽에서 석곽, 석실로 점진적인 변화하는 방향성을 가지고 있습니다. 소가야의 다곽식 고분 내에서는 더러 매장부가 혼재되어 나타나기도 하는데, 이는 대체로 시간성과 계층성이 반영된 것으로 보고 있습니다. 그런데 영암 내동리 쌍무덤의 경우에는 재미있게도 1호 석실 다음에 가야의 영향을 받았다고 추정되는 2기의 석곽, 그리고 다시 석실, 다음에 옹관묘가 조성이 되는데요. 곽과 실이 혼재해 곽에서 실로 가는 변화가 점진적이지 않은 것 같습니다. 이러한 축조 경향이 가지는 의미가 무엇인지, 혹시 피장자의 성격과 관계된 것은 아닌지 말씀해주시기 바랍니다.

세 번째는 시간 관계상 생략하겠습니다.

네 번째로 영암지역 마한 고분 49개소 중 12개소에 대한 발굴조사가 이루어졌다는 것은 경남의 가야유적과 비교 했을 때 매우 높은 수준입니다. 저희 경남도 1,669개소 중에서 405개소 정도 발굴조사가 이루어져 거의 비슷한 것처럼 보이지만, 이들 중에는 구제발굴이 상당 부분을 차지하기 때문에, 실제 영암지역의 월등한 수준의 학술발굴은 큰 장점으로 그 성과를 잘 활용해야 할 것 같습니다.

또한 오늘 김승근 원장님께서 제안해주신 고분 활용과 관련해서는 행정기관에서 참고해야 될 사항이 많다고 생각됩니다. 가야도 마찬가지지만 고분 유적을 지역의 문화브랜드로 자리 매김하고 활용한다는 것은 결코 쉬운 문제는 아닙니다. 특히 가야와 마한의 경우에는 국민적 지명도도 낮기 때문에 더욱 어려운 점이 많습니다. 또 일반적으로 고분 유적의 복원 정비에 있어서도 유적 공원의 조성 외에 활용방안이 다양하지 않다는 것도 사실입니다. 그럼에도 불구하고 최근에 제가 업무를 담당하면서 반드시 필요하다고 생각했던 것 몇 가지를 말씀드리고 김승근 원장님의 의견을 들어 보고자 합니다.

첫 번째는 경관과 주변의 환경 관리입니다. 가야고분군 중 주요 7개 고분군이 세계유산 등재추진을 하면서 유산 자체의 가치도 중요하지만 주변지역의 경관과 환경관리, 보존계획 또한 중요하다는 것을 알게 되었습니다. 예를 들면 세계유산을 추진하면서 모 고분군에 탐방객들이 상당히 늘어났습니다. 물론 이들 모두가 고분을 답사하기 위한 것은 아니며 오히려 고분 내에 있는 '왕따 벚꽃나무'라는 유명한 나무를 촬영하러 많이 옵니다. 결국 장기적으로는 유적의 활용적인 측면을 높이기 위해선 경관, 환경관리가 경쟁력이 될 수 있다는 사례로 생각됩니다.

두 번째는 한국의 강점인 ICT기술과 관련된 것입니다. 최근 가야유적 1~2개소 정도에 시범 구축을 해 놓았는데 상당히 호응이 좋습니다. 특히 모바일을 통한 탐방 안내시스템 구축 등은 장기적으로 필요해 보입니다.

세 번째는 여러 시각자료들이 필요하게 되는데 저희 가야문화권의 경우 주요고분의 발굴모습을 3D영상으로 확보해 가고 있습니다. 이건 향후 박물관 전시와도 관련이 있는데요. 어떻게 보면 기존에 확보해 왔던 2차원적인 도면과 사진자료에 더해 3D 영상 자료를 확보해가고 있는 겁니다. 앞으로의 활용 가능성을 생각할 때 반드시 필요한 작업인데. 이 과정이 반드시 시스템화 되어야 한다고 생각하고 있습니다.

또한 김승근 원장님께서 말씀해 주셨던 공립 박물관 부분입니다만, 영암지역에 오기 전에 자료를 찾아보니 공립박물관이 3군데가 있었습니다. 도기, 왕인박사, 전남도 농업에 관련된 공립박물관입니다. 오늘의 주제였던 영암지역 마한 고분을 주제로 한 공립 박물관, 전시관이 건립이 되어서 제 기능을 하게 된다면 충분한 시너지 효과가 있을 것으로 생각됩니다. 제가 설명드린

부분에 대한 김승근 원장님의 생각을 듣고 싶습니다.

박순발 : 여러 질문이 있지만 김승근 원장님이 답변할 부분은 활용부분이고 나머지는 이범기 소장님이 2번 질문과 홍보식 교수님의 질문과 함께 답변을 준비해주시기 바랍니다. 3번째 질문은 김낙중 교수님이 준비해주시면 될 듯합니다. 최종 발언을 포함해서 답변 해주시면 됩니다. 김승근 원장님이 먼저 답변 부탁드립니다.

김승근 : 김수환 선생님께서 중요한 말씀을 해주신 것 같습니다. 저희 연구원에서 문화 활용이나 교육, 홍보에 대해 노력을 하고 있어 지금 말씀하신 부분이 모두 공감됩니다. 결국 마한이나 다른 문화자원도 마찬가지로 가장 중요한 점은 방문객을 유도하는 것입니다. 방금 김수환 선생님께서 말씀하셨지만 함안에도 고분보다는 벚나무 포토존을 위해 방문하는 것처럼 고분은 전시용으로 복원해 놓으면 위에서 뛰어노는 것 외에 방문객들이 실질적으로 체험할 수 있는게 별로 없습니다. 학술적으로 특출나던가 어떠한 특장점이 없다면 방문 자체를 잘 하지 않습니다. 그래서 방문할 수 있는 특징을 만들고, 학술적인 면을 접합하는 게 우리의 발전 방향인 것 같습니다. 근래에 예로 이정호 교수님께서 관장으로 계시는 나주 복암리 전시관처럼 고분 자체의 내부를 볼 수 있는 등의 새롭게 다가설 컨텐츠의 개발이 중요해져 영상물 시스템 구축을 통해 VR, AR 등 미디어 아트를 활용한 영암지역 마한사회의 자원을 키워 갈 수 있는 대단위 계획이 필요할 것 같습니다.

박순발 : 네, 시간 관계상 아까 말씀드린 질의응답과 최후 발언으로 결론을 짓기 위해 쌍무덤의 연대문제와 쌍무덤을 중심으로 방대형분의 성격, 내동리지역과 반남지역의 위상과 선후 관계를 중심으로 허진아 교수님부터 앉은 순서대로 한마디씩 해주시면 감사하겠습니다.

허진아 : 일단 구슬은 위신재이며 엘리트용품인데 정치적으로 완전히 컨트롤이 되었다면 백제 중앙에서 당연히 다른 중국 자기, 금동관처럼 사여했어야 합니다. 그렇다면 영산강 유역에서 자체 교역을 통해 입수 한 후 다시 중앙으로 가서 재분배 사여품으로 기능했는지, 아니면 영산강 유역에서 경제활동의 연장선에서 소비가 되었는지를 살펴보는 게 중요합니다. 유리구슬 하나만으론 불가해 앞으로 주변의 대형 옹관이나 고총 고분의 매장 전통을 공유하는 이 일대의 구슬 구성들을 확인 한 후 무령왕릉이나 수촌리 등 백제 중앙쪽, 웅진이나 5~6세기 무덤에서 나오는 구슬 구성을 비교할 예정입니다. 백제에서 출토되는 곡옥과 영산강 유역의 곡옥에 대해 분석을 해서 구슬 역시도 위신재이긴 하나 다른 사여품들과 마찬가지로 중앙에서 재분배된 것인지 아니면 자체적으로 구슬을 위신재로 사용해왔던 전통에 따라서 소비가 된 것인지 분석해 볼 예정입니다.

김낙중 : 시종일대 세력의 성장과 관련해서 반남보다 시종 세력을 백제가 먼저 선택한 이유는 당시 교통이나 교섭에서 중요한 것이 뱃길이었다는 접근이 중요한 것 같습니다. 특히 연안항로가 가장 중요했다고 볼 수 있는데 이는 조선시대까지도 이어집니다. 연안

항로와 내륙 수로를 연결할 수 있는 영산 내해에 위치한 시종 세력이 해상 교통로에서 중요한 지점에 위치해 있었기 때문에 영산 하구를 통해서 내륙으로 진출하는 백제 입장에서는 시종이 반남보다 중요한 지역이었을 겁니다. 가장 먼저 백제 금동관이 확인되는 곳이 서남해 지역 해안가에 위치한 고흥 안동 고분이라는 점 등으로 추론 가능합니다. 이후 반남세력으로 확대된 이유는 백제의 점적인 지배에서 면적인 지배로의 확장으로 영산강유역 전체에 대한 지배력 확대 과정 속에서 이루어졌다고 봅니다. 물론 백제의 직접 지배 관계로 나가기 전에 영산강 권역 내에서 집단마다 세력의 우열이 있었고 6세기 전엽까지 지역마다 지역집단이 가지는 중점적인 역할의 차이, 성장의 배경 등에 차이가 있어서 영산강 중하류역에서 반남은 전반적인 영산강 권역 내에서 지배세력으로써 역할이 있었다고 한다면 시종일대는 연안항로와 내륙 수로의 결절점에서 대외교섭과 교류에 중점을 두고 성장해 세력을 유지한 점에서 다르게 봐야 되지 않을까 합니다.

서현주 : 시간적인 문제는 결국 옥야리 방대분은 이 일대에서 시기상 이를 수 있지만 내동리 1호분을 중심으로 대체로 5세기 후엽부터 중요 고분들이 축조되고 있고 그 즈음에 영암뿐만 아니라 나주 복암리 정촌 1호분, 함평 금산리 방대형분 등이 축조되기 시작해 6세기 전엽에서 중엽까지 고분이 축조되었다고 생각됩니다. 그래서 반남 고분군과 신촌리 9호분도 마찬가지로 같은 시점에 축조를 시작해 전통이 이어지는 고분이라고 생각됩니다. 특히 반남 고분군의 신촌리 9호분과 내동리 1호분의 경우에는 중층

의 구조와 다장의 특징을 가지고 있고 5세기 후엽 ~ 6세기 중엽까지 한 기의 고분에 다장 되었던 구조가 유사한 시기에 축조되었던 고분이라고 판단됩니다. 시종지역과 반남지역의 차이점은 반남 고분군은 토기양상 등으로 보아 영암지역과 비슷하게 흘러가는 양상인데 신촌리 9호분은 모두 옹관묘를 쓰고 있고 주변에 장고분도 보이지 않고 옥야리 방대분 같은 고분도 존재하지 않은데비해 시종지역은 비슷한 시기에 영산강 하류 쪽에서 외래문화를 적극적으로 수용해 성장하다 보니 반남과는 다른 지역적 특징을 강하게 드러내는 세력으로써 자리 잡은걸로 보입니다.

이범기 : 피장자의 성격에 대해 간단히 설명을 드리면 석곽과 석실이 혼재하고 옹관도 존재합니다. 따라서 쌍무덤 세력은 지정학적 위치가 중요하며, 쌍무덤은 영산내해라고 불릴 만큼 영산강 본류와 서해 바다가 합류하는 지점에 위치하고 있습니다. 이를 관문사회라고 표현하기도 합니다. 내동리 쌍무덤으로 대표되는 시종의 미한수장층들은 관문사회의 특징을 살린 네트워크를 형성했던 것으로 판단되며 그 결과물로 석실, 석곽, 다양한 국적의 유물 등으로 나타나지 않았나 싶습니다. 정리하자면 쌍무덤 역시 중국 청자잔, 금동관, 유리구슬 등이 확인되어 영산강유역의 마한수장층들이 해양세력으로써 가지고 있는 위치적 특징을 잘 확인해준 유적으로 볼 수 있습니다.

이정호 : 내동리 쌍무덤의 1호 석실, 수혈계 횡구식 석실이라고 표현되는 1호 석실과 2호 석곽, 1호 석곽과의 관계가 문제인데, 금동관이

횡구식 석실 출토인지, 2호 석곽 출토인지가 해석의 방향을 결정할 듯 합니다. 횡구식 석실 출토품이라면 전체적 흐름상으로는 크게 문제가 없는데, 너무 일찍부터 등장하는 게 아닌가 하는 느낌이 있습니다. 만약 2호 석곽 출토품이라면 오히려 반남고분과 편년 상 역전이 될 가능성 또한 상존합니다. 이 부분은 앞으로 전문가분들의 연구를 통해서 명확히 밝혀져야 될 듯합니다. 또 하나는 자명한 사실인데 영산강유역은 통합 정치체제로 유지된 것이 아니고 각 지역마다 산발적인 지역집단이 존재하고 있었기에 내동리 쌍무덤과 옥야리 장동 방대형 각자 지역집단으로 분포하고 있었다고 보입니다. 이는 반남고분군을 자세히 검토해봤을 때 시기차를 두면서 3개 집단으로 분류가 될 정도로 아주 좁은 범위에서도 지역집단 간 다른 성향을 띄며 존속해가는 양상이 나타나고 있습니다. 여기서 중요한 점은 백제와의 관계가 어떻게 되는지 인데 박순발 교수님께서 말씀하신 것처럼 지배적 동맹 관계라는 게 꽤나 매력적인 시각으로 보입니다. 또한 김낙중 교수님께서 말씀하신 것들을 종합해서 본다면 백제와 영산강유역의 지역 집단 간의 관계가 초기에 백제는 연안 항로가 중요했기 때문에 내륙지역에 대해 크게 무게를 두지 않았던 걸로 보입니다. 그래서 초기를 저는 섬지역이나 해안지역을 항로를 따라 지배하는 방식인 선형 지배라고 표현하고 싶습니다. 이후 해안지역을 위협할 만한 세력이 내륙에도 당연히 존재하기 때문에 내륙에 대한 영향력도 점차적으로 넓혀간 걸로 판단됩니다. 그게 박순발 교수님께서 말씀하신 것처럼 지배적 동맹 관계의 형태로 진행되며 청자잔이나 금동관, 금동신발 등이 사여된 걸로 판단됩니다.

홍보식 : 제가 사적 분과위원으로 현지 실사나 심의 경험을 비추어 봤을 때 사적으로 지정되기 위해서는 쌍무덤 자체의 가치와 더불어 주변에 분포하는 동일하거나 유사한 문화유산과의 비교를 통해 쌍무덤의 탁월한 보편적 가치를 부각해야 하고 주변에 분포한 문화유산과 연계한 향후 정비 보호방안이 집중적으로 담겨야 합니다. 다음으로 옥야리나 쌍무덤의 경우는 분형이 방대형이거나 제형인데도 불구하고 현재 원형으로 복원이 되어 있는 점 등 유적의 진정성이 관건이 되지 않을까 싶습니다. 다음으로 문화재 구역의 설정과 보호구역 설정의 타당성이 구체적인 근거를 가지고 제시되어야 하고 활용계획에 있어서 직접적인 것과 연계적인 것이 무엇인지 분리가 되어야 합니다. 또한 나아가서 쌍무덤이 분포한 이 지역이 당시에 어떤 정치체의 모습을 가졌는지에 대한 고민이 담겨있었으면 합니다. 그리고 김수환 선생님도 말씀하셨다시피 쌍무덤이라는 용어 자체가 고분의 역사성을 담아내는 용어인지 등 사적지정 문화 유산의 명칭에 대한 문제도 총괄적으로 검토가 되어서 사적지정 추진을 했으면 합니다.

박순발 : 네, 현재 사적 분과위원으로 활동하고 계시니까 특히 귀담아 들을 사항이라고 보입니다. 시간 관계상 남은 이야기들은 추후를 기약하며 이것으로 마치도록 하겠습니다. 여러분 모두 수고하셨습니다. 감사합니다.